С.И. Дерягина
Е.В. Мартыненко
И.И. Гадалина
Н.П. Кириленко

В ГАЗЕТАХ ПИШУТ...

Шестое издание,
исправленное и дополненное

РУССКИЙ ЯЗЫК
КУРСЫ

МОСКВА
2012

УДК 811.161.1
ББК 81.2 Рус-96
Д36

Авторы разделов:

С.И. Дерягина, Е.В. Мартыненко — «Лексико-грамматические темы»
С.И. Дерягина — «Жанры»
Е.В. Мартыненко, Н.П. Кириленко — «Тесты к жанрам»
С.И. Дерягина, И.И. Гадалина, Е.В. Мартыненко — «Грамматика в таблицах
и комментариях»

Рецензенты: проф. *С.А. Хавронина*
канд. фил. наук *Г.Н. Трофимова*

Дерягина, С.И.

Д36 **В газетах пишут...**: Учебное пособие для иностранцев, изучающих русский язык / С.И. Дерягина, Е.В. Мартыненко, И.И. Гадалина, Н.П. Кириленко. — 6-е изд., испр. и доп. — М.: Русский язык. Курсы, 2012. — 280 с.
ISBN 978-5-88337-026-6

Пособие состоит из трех разделов: лексико-грамматические темы, жанры, грамматика в таблицах и комментариях.

Цель пособия — показать разнообразие языка прессы и газетных жанров, активизировать языковые и речевые навыки учащихся, подготовить их к чтению оригинальных материалов текущей периодики.

Предназначено для иностранцев, которые овладели базовым лексико-грамматическим материалом. Может быть использовано как в аудитории, так и самостоятельно.

Миллионы людей ежедневно достают из своих почтовых ящиков газеты. Однако далеко не все знают происхождение слова «газета». По мнению специалистов, его родина — Венеция. В конце XVI века там появились специальные конторы по сбору новостей. Листки, на которых они были напечатаны, стоили одну газету (венецианская денежная единица). Широко слово «газета» утвердилось после того, как в 1631 году во Франции вышло издание «Ля газет». Остаётся добавить, что первые регулярные газеты стали выходить в Лейпциге, Лондоне и Париже.

ПРЕДИСЛОВИЕ

Данное пособие рассчитано на иностранных граждан, которые овладели лексико-грамматической базой русского языка в объёме программы первого (начального) уровня. Оно может быть использовано как в аудитории, так и для самостоятельной работы.

Цель пособия — показать разнообразие языка прессы и газетных жанров, активизировать языковые и речевые навыки учащихся, подготовить их к чтению оригинальных материалов текущей периодики.

Необходимость передать максимум информации на ограниченной площади приводит к определённой структуре текста. В пособии приведены синтаксические конструкции (определительные, причинно-следственные, целевые, уступительные, условные, временны́е), которые помогают журналистам решить эту проблему. Эти конструкции повторяются и закрепляются в системе соответствующих упражнений.

Пособие построено по тематическому принципу. Выбор тем обусловлен основными событиями, которые происходят в мире и которые представляют интерес для читателя. Тематический принцип подачи материала даёт возможность вести планомерное накопление лексики, активизировать её употребление, а также позволяет учитывать профессиональные интересы учащихся (они могут изучать темы выборочно).

В основе предъявления лексики лежит следующее требование: слово должно усваиваться не изолированно, а как системная единица, органически связанная с лексической системой языка, потому что слово

3

может менять своё значение в разных контекстах. Поэтому представлено не только слово, но и те связи, в которые оно вступает с другими лексическими единицами.

Так как пособие не ставит своей задачей заменить газету, оно состоит из типовых текстов, которые являются моделями-образцами, что даёт возможность вести работу, направленную на усвоение лексико-грамматического материала, типичного для газетно-публицистического стиля речи. После усвоения этого материала учащийся сможет приступить к чтению газеты.

В качестве иллюстративного материала приводятся оригинальные тексты из периодической печати («Известия», «Аргументы и факты», «Московские новости», «Сегодня», «Коммерсант», «Культура» и др.). В некоторых случаях в учебных целях они подвергались незначительной адаптации: убраны фамилии политических деятелей, иногда названия государств заменены словами: **страна, государство, республика**.

Далее рассматриваются синтаксические конструкции. Задания для каждой лексико-грамматической группы даются в определённой последовательности — от наблюдения и осмысления языковых фактов к их употреблению в речи.

Отобраны группы слов, которые, являясь характерными для публицистических текстов, вызывают затруднения в употреблении (например, **государство, страна; беспорядки, волнения; осуждать, обсуждать** и др.). Они даны в рубрике «Р а з л и ч а й т е !».

Материал в пособии организован таким образом, чтобы дать возможность пользоваться им как тем учащимся, которые только начинают читать газету (в данном случае делать все задания необязательно), так и тем, кто хочет изучить язык газеты основательно. Поэтому тексты расположены по возрастающей трудности. В конце каждой темы даются тексты повышенной трудности, которые рассчитаны на студентов, имеющих хорошую подготовку по русскому языку.

Предполагается, что в результате работы по пособию учащиеся должны уметь:

а) читать и понимать газетные тексты;

б) находить в текстах ответы на поставленные вопросы;

в) сопоставлять и обобщать информацию двух и более прочитанных текстов;

г) воспроизводить полученную при прочтении информацию;

д) при необходимости готовить самостоятельное сообщение по пройденной теме.

Авторы

Пометы и условные знаки

Многоточие указывает, что соответствующий лексический ряд приводится не полностью, а с ограничениями, по принципу частотности употребления в газете, например: правительственная делегация, информация…

Двоеточие ставится после вопросительных местоимений и наречий, указывающих на описываемые позиции при заголовочном слове, например: обсуждать/обсудить *где*: (*в чём*) в печати…

Знак О (кружок) предваряет словосочетание существительное + согласуемое с ним прилагательное, например: О решающий голос.

Знак △ (треугольник) предваряет словосочетание существительное + существительное, например: △ право голоса, участие в выборах.

Знак □ (квадрат) предваряет словосочетание глагол + существительное, например: □ иметь голос.

Знак ! показывает, что на этот материал следует обратить внимание, например:

государство — *прил.* государственный **!**
страна — *прил.* нет

Условные сокращения

англ. — английский

букв. — буквально

ед. — единственное число

ж — женский род

инф. —инфинитив

мн. — множественное число

м — мужской род

нем. — немецкий

неодобр. — неодобрительное

прил. — прилагательное

син. — синоним

см. — смотри

собират. — собирательное

с. — страница

сущ. — существительное

упр. — упражнение

Список аббревиатур

АНСА — Агентство печати

АРЕ — Арабская Республика Египет

АЭС — атомная электростанция

ВВС — военно-воздушные силы

ВОЗ — Всемирная организация здравоохранения

главред — главный редактор

Госдума — Государственная Дума

ЕС — Европейский союз

«Интерпол» — Международная организация уголовной полиции

«Интерфакс» — Российское информационное агентство

ИТАР-ТАСС — Российское информационное агентство

КНР — Китайская Народная Республика (Китай)

МАГАТЭ — Международное агентство по атомной энергетике

МИД — Министерство иностранных дел

МТБ — Московская товарная биржа

НАТО — Организация Североатлантического договора

НГ — Независимая газета

ОАЕ — Организация американского единства

ООН — Организация Объединённых Наций

ОПЕК — Организация стран — экспортёров нефти

РАО «ЕЭС» — Российское акционерное общество «Единая энергетическая система»

РИА — Российское информационное агентство

РИА «Новости» – НГ – Российское информационное агентство «Новости» – НГ

РФ — Российская Федерация (Россия)

СБ ООН — Совет Безопасности ООН

СМИ — средства массовой информации

СНГ — Содружество Независимых Государств

США — Соединённые Штаты Америки

ТВ — телевидение

ФРГ — Федеративная Республика Германии

ЦБ РФ — Центральный банк России

ЦУП — Центр управления полётами

ЧП — Чрезвычайное происшествие

ЧР — Чешская Республика

ЮАР — Южно-Африканская Республика

ЮНЕСКО — Организация Объединённых Наций по вопросам образования, науки и культуры

ЛЕКСИКО-ГРАММАТИЧЕСКИЕ ТЕМЫ

- ОФИЦИАЛЬНЫЕ ВИЗИТЫ, ПЕРЕГОВОРЫ, БЕСЕДЫ

- СОВЕЩАНИЯ, КОНФЕРЕНЦИИ

- ВЫБОРЫ, ФОРМИРОВАНИЕ ПРАВИТЕЛЬСТВА

- ЗАБАСТОВОЧНОЕ ДВИЖЕНИЕ

- ЭКСТРЕМАЛЬНЫЕ СИТУАЦИИ

- СОВРЕМЕННЫЕ МЕЖДУНАРОДНЫЕ ОТНОШЕНИЯ

- ЭКОЛОГИЯ

- КУЛЬТУРА

- БИЗНЕС

- РЕКЛАМА

ОФИЦИАЛЬНЫЕ ВИЗИТЫ, ПЕРЕГОВОРЫ, БЕСЕДЫ

визит встреча переговоры беседа приём	официальный, рабочий, дружеский … визит

friendly
negotiation
conversation, a talk
reception

субъект	предикат		с *каким* визитом	
а) *кто*	посетит	*что*	официальным	визитом по
(have)	прибывает	*откуда*	с рабочим	приглашению
	прибудет	*куда*	дружеским	*кого*
б) *кто*	прибыл	*куда*	с *каким*	визитом
	находится	*где*		
в) *кто*	находился	*где*	с *каким*	визитом
	посетил	*что*		
	отбыл	*откуда*	*куда*	

tour / visit
arrive
arrive
friendliness
depart

а) речь идёт о будущем визите

б) речь идёт о визите, который проходит в момент сообщения

в) речь идёт о прошедшем визите

Примеры: Президент России **посетит** КНР **с официальным визитом по приглашению** китайского правительства в ноябре. Вчера в Брюссель **прибыл с рабочим визитом** премьер-министр Италии. 20 октября министр иностранных дел Болгарии **отбыл** из Москвы на родину.

foreign affairs   *business*   *social / friendly*

встреча переговоры	на высшем уровне	деловая, тёплая, дружеская, дружественная … **обстановка**

	субъект	предикат	
а)	**визит** **встреча**	состоится	*когда где* ~to be held~
	переговоры	состоятся	~are held,~ ~to have one had~
б)	**визит** **встреча**	проходит	
			где в *какой* **обстановке**
	переговоры	идут проходят	
в)	**визит**	прошёл	
	переговоры	проходили прошли	*как*
	встреча **беседа**	проходила прошла	в *какой* **обстановке**

	предикат	субъект	
когда где	состоялась	**встреча** беседа	*кого с кем*

Примеры: 10 апреля в Кремле **состоялась беседа** между Президентом России и премьер-министром Южной Кореи. **Переговоры проходили** в *деловой* обстановке.

субъект	предикат	
	встретился имел **беседу**	*с кем*
кто	принял *кого*	
	дал **завтрак** **обед**	**по случаю** *чего* ~on the occasion of~ **в честь** *кого-чего* ~in honor of~
	устроил **приём**	**по случаю** *чего* **в честь** *кого-чего*

~arranged~
~sponsored~

вести/провести **беседу, переговоры**   conducted / чему
проводить/провести **встречу**
иметь **беседу, встречу**
участвовать **во встрече, в переговорах**
идти **на переговоры**
нанести **визит**
устроить **приём**

Примеры: Президент России **принял** в Кремле послов попов ряда стран. Посол Франции **устроил приём** в посольстве **по случаю** национального праздника.

1. Прочитайте информационное сообщение. Обратите особое внимание на употребление выделенных слов.

МОСКВА (ИТАР-ТАСС). Министр иностранных дел Канады прибыл в Москву с рабочим **визитом**. Программа **визита** включает **переговоры** с главой МИДа и **встречу** с Президентом России. Главной темой **бесед** станет подготовка российско-канадской **встречи** на высшем уровне.

2. Прочитайте информационные сообщения. Скажите, о чём в них идёт речь?

А. Сегодня в Москву с официальным визитом прибывает министр иностранных дел Франции. Основной темой российско-французских переговоров будет подготовка предстоящего визита во Францию Президента России и заседания смешанной российско-французской комиссии по торгово-экономическому сотрудничеству. Глава МИДа Франции проведёт беседы с премьер-министром РФ, министром иностранных дел и председателем Госдумы и обсудит с ними проблемы, представляющие взаимный интерес.

РИА «Новости» — *НГ*

11

Б. Президент РФ прибыл в Италию, где примет участие в торжествах, посвящённых 150-летию объединения страны. В первый день своего рабочего визита глава российского государства, как ожидается, встретится и (побеседует) будет иметь беседу с президентом Италии.

где *когда*	обсуждать/обсудить рассматривать/рассмотреть затрагивать/затронуть ~~уулт / чтен урал~~	вопрос *о чём, чего* проблему *чего* предложение *кого о чём* широкий круг вопросов	
	обмениваться/обменяться мнениями состоялся обмен мнениями	по *какому* вопросу	

3. Прочитайте информационные сообщения, ответьте на вопросы:

1) Где и когда состоится встреча?
2) Кто будет участвовать во встрече?
3) Какие вопросы будут обсуждаться на встрече?

А. ПРЕЗИДЕНТ ПОЛЬШИ ПОСЕТИТ МОСКВУ

Польша заинтересована в установлении постоянного диалога с Россией по всем вопросам экономических и политических отношений, поэтому президент Польши планирует посетить Москву с рабочим визитом. Предстоящие 29 июня встреча и переговоры с Президентом России будут иметь неформальный характер, о чём свидетельствует отсутствие привычного протокола. Ожидается, что главы государств обсудят состояние и перспективы двусторонних отношений, а также обменяются мнениями по международным проблемам.

ИТАР-ТАСС

1) Когда и где проходили переговоры?
2) Какие вопросы были рассмотрены во время переговоров?

Б. ДЕЛИ (РИА). Заместитель госсекретаря США провёл двухдневные переговоры с руководителями Индии. Американский дипломат сообщил журналистам, что цель его визита — «прояснение позиций сторон по международным и региональным проблемам и укрепление американо-индийских отношений».

договор соглашение договорённость документ контракт	подписывать/подписать заключать/заключить	*какой* договор *какое* соглашение *какой* контракт

	ратифицировать подписывать/подписать договориться	договор *какой* документ *о чём*

достичь	договорённости *о чём, в области чего* соглашения *о чём*

4. *Прочитайте информационные сообщения. Ответьте на вопросы.*

А. ТОКИО (ИТАР-ТАСС). Восемь ведущих промышленно развитых стран достигли договорённости об ограничении экспорта обычных вооружений и связанных с ними материалов в страны, которые могут стать вероятными участниками вооружённых конфликтов. Это решение подтверждено на состоявшейся в Мюнхене встрече «восьмёрки». Ожидается, что к договорённости присоединятся другие страны.

— Какие результаты были достигнуты в ходе встречи «восьмёрки»?

Б. МЕХИКО (РИА). После трёхлетних переговоров Мексика, Колумбия и Венесуэла подписали в Боготе соглашения о свободной торговле, которое вошло в силу после его ратификации парламентами. Соглашение предусматривает ликвидацию экспортно-импортных барьеров между тремя латиноамериканскими странами.

— Какие результаты были достигнуты тремя странами после трёхлетних переговоров?

В. По сообщению РИА «Новости», вице-премьер РФ заявил, что предполагается поставлять в общей сложности 68 миллиардов кубометров газа в год по двум маршрутам. До 10 июня «Газпром» и китайская компания завершат переговоры и подготовят к подписанию такой коммерческий контракт. Срок контракта составит, как минимум, 30 лет, отметил вице-премьер.

– Чем закончились переговоры «Газпрома» с китайской компанией?

Выражение временно́го отрезка, в границах которого что-либо совершается *(см. с. 250)*

когда?	во время в ходе	визита, встречи, беседы, переговоров, дискуссии...
	во время	обеда, завтрака...
	при	обсуждении, рассмотрении, подписании... *чего* обмене мнениями, вручении награды...

5. *Прочитайте предложения. Поставьте вопросы к выделенным словам и дайте краткий ответ на них.*

<u>Образец.</u> **Во время визита** делегация посетила Кремль.

Когда делегация посетила Кремль? — **Во время визита.**

1) **Во время беседы** были обсуждены вопросы взаимовыгодного сотрудничества между Россией и Францией. 2) **Во время встречи президента республики с лидером оппозиции** обсуждалась кризисная ситуация в стране. 3) Ожидается, что **во время второго раунда переговоров** стороны смогут приступить к выработке конкретных формулировок соглашения. 4) **В ходе первого раунда переговоров** делегации изложили свои точки зрения на структуру и содержание соглашения. 5) **В ходе беседы** были обсуждены вопросы сотрудничества между двумя государствами. 6) **В ходе состоявшихся встреч и бесед** министры иностранных дел выработали программу совместных действий их государств в этом регионе. 7) Состоялась **беседа, в ходе которой** были обсуждены вопросы, представляющие взаимный интерес. 8) **При обсуждении международных проблем** особое внимание было обращено на опасное обострение обстановки на границе. 9) **При рассмотрении вопросов работы текущей сессии Генеральной Ассамблеи ООН** российский представитель привлёк внимание к важным предложениям

ряда государств. 10) **При обмене мнениями о положении в Африке** стороны отметили сохраняющуюся напряжённость в некоторых регионах этого континента.

6. *Ответьте на вопросы, используя слова и словосочетания, данные справа. Употребите нужный предлог.*

<u>Образец.</u>**Когда** было подробно рассмотрено положение на Ближнем Востоке? — Положение на Ближнем Востоке было подробно рассмотрено в **ходе беседы**.

беседа

1) Когда были рассмотрены вопросы, представляющие взаимный интерес?	встреча президентов двух стран
2) Когда были обсуждены вопросы дальнейшего развития экономического сотрудничества между двумя странами?	визит
3) Когда было выражено удовлетворение состоянием отношений между двумя государствами?	переговоры
4) Когда состоялся обмен мнениями по актуальным вопросам современной международной обстановки?	беседа, прошедшая в дружественной атмосфере
5) Когда двум президентам удалось вместе решить многие трудные вопросы?	обсуждение актуальных проблем
6) Когда министры обменялись речами?	завтрак, который министр иностранных дел РФ дал в честь министра МИД Польши

7. *Ответьте на вопросы 1-5 задания 6, употребляя в ответах сочетания* **обе стороны**. *Измените конструкции.*

<u>Образец.</u>Когда было подробно рассмотрено положение на Ближнем Востоке? — **Обе стороны** подробно рассмотрели положение на Ближнем Востоке в ходе беседы.

8. Ответьте на вопросы, используя предложения, данные справа.

Образец. **Когда** министр иностранных дел РФ подтвердил неизменность политики России в международных делах? — Министр иностранных дел РФ подтвердил неизменность политики России в балканских делах **при обсуждении положения в мире**. | Стороны обсуждали положение в мире.

1) Когда министры подчеркнули большое значение взаимовыгодных связей между РФ и Финляндией? | Министры подписали Договор о сотрудничестве.

2) Когда было отмечено серьёзное обострение обстановки в некоторых регионах Африки? | Стороны рассмотрели положение в Африке.

3) Когда обе стороны подчеркнули принципиальное значение гватемальских соглашений? | Стороны обменялись мнениями о положении в Центральной Америке.

4) Когда стороны отметили, что страны Персидского залива имеют право распоряжаться своими природными ресурсами? | Стороны обсудили положение в Персидском заливе.

Несогласованное определение, выраженное существительным в родительном падеже (см. с. 262).

какие?

проблемы | развития двусторонних отношений

Пример: Во время встречи обсуждались проблемы **развития двусторонних отношений**.

Несогласованное определение в отличие от согласованного стоит после определяемого слова.

какие?

С р а в н и т е : Во время встречи обсуждались **актуальные международные проблемы**.

9. *Поставьте вопрос к определениям и дайте краткий ответ на него.*

Образец. Руководители двух стран обсудили вопросы **международного положения**. — **Какие** вопросы обсудили руководители двух стран? — Вопросы **международного положения**.

1) В ходе дружеской беседы были обсуждены вопросы сотрудничества между двумя государствами. 2) В ходе беседы были рассмотрены вопросы дальнейшего развития торгово-экономических отношений. 3) Участники встречи рассмотрят проблемы укрепления безопасности и сотрудничества европейских народов. 4) Переговоры проходили в обстановке дружбы и полного взаимопонимания. 5) Участники переговоров выступили за строгое соблюдение принципа невмешательства во внутренние дела другого государства. 6) Российский представитель призвал участников переговоров стать на путь реализма и внести свой вклад в обеспечение мира в этом регионе.

10. *Ответьте на вопросы, используя словосочетания, данные в скобках.*

Образец. Какие вопросы были затронуты в ходе беседы? (двусторонние отношения). — В ходе беседы были затронуты вопросы двусторонних отношений.

1) Какие отношения существуют между РФ и Финляндией? (добрососедство и сотрудничество) 2) Какая делегация прибыла в Бразилию с официальным визитом? (российский парламент) 3) Какие задачи находились в центре внимания во время беседы? (обеспечение мира в этом регионе) 4) Каким опытом обменялись делегации в ходе встреч? (преодоление кризисных ситуаций) 5) В какой обстановке проходила встреча? (полное единство взглядов по всем обсуждавшимся проблемам) 6) Какие вопросы обсуждались во время беседы? (дальнейшее углубление сотрудничества между двумя государствами) 7) За соблюдение какого принципа выступили участники переговоров? (невмешательство во внутренние дела других государств)

11. *Закончите предложения, употребляя слова и словосочетания, данные справа, в нужной форме.*

1) В Москву с официальным визитом прибыла делегация	французский, парламентский; парламент Франции

2) Переговоры проходили в обстановке	дружественный; дружба и взаимопонимание
3) В ходе переговоров обсуждались вопросы	экономический; экономика
4) На обсуждение был вынесен вопрос	очень важный; большая государственная важность

Несогласованное определение, выраженное существительным в предложном падеже (см. с. 271)

	какой?
договор	о дружбе и сотрудничестве

Пример: Стороны подписали договор **о дружбе и сотрудничестве**.

12. Поставьте вопрос к определениям и дайте краткий ответ на него.

Образец. Эта организация требует как можно скорее заключить соглашение **о сокращении ядерного оружия в Европе**. — **Какое соглашение требует как можно скорее заключить эта организация? — О сокращении ядерного оружия в Европе**.

1) Самым главным вопросом современности является вопрос **о мире**. 2) Комитет обсудил ход реализации генерального соглашения **о сотрудничестве соседних государств**. 3) Во время визита министра иностранных дел была достигнута договорённость **о визите президента в эту страну**. 4) В ходе переговоров стороны подписали договор **о сотрудничестве в исследовании космоса**.

13. Ответьте на вопросы, используя данные в скобках словосочетания.

1) Какое соглашение было подписано во время переговоров? (открытие воздушного сообщения между Панамой и Россией) 2) Какой

договор был подписан в 1948 году между Советским Союзом и Финляндией? (дружба, сотрудничество и взаимная помощь) 3) Какой вопрос будет обсуждён на встрече президентов? (заключение соглашения о партнёрстве и сотрудничестве) 4) Какие предложения рассмотрели стороны в ходе переговоров? (превращение в зону, свободную от ядерного оружия) 5) Какой договорённости достигли восемь ведущих промышленно развитых стран? (ограничение экспорта обычных вооружений)

Р а з л и ч а й т е !

> ГОСУДАРСТВО
> СТРАНА
> ПРАВИТЕЛЬСТВО

Комментарий

- **Государство** — политическая организация общества, страна со своим правительством и своими законами.

Примеры: **Государство** должно защищать своих граждан (как управляющая система, имеющая определённые законы). Во главе **государства** стоит президент (*нельзя*: во главе **страны**).

- **Страна** — то же, что государство.
  а) Но! **Страна** — больше географическое понятие, а **государство** — политическое.
  Путешествие **по стране** (*нельзя*: путешествие по **государству**).
  б) **Страна** (*собират.*) — все жители государства, страны.

Пример: Вся **страна** ждала выступления президента по радио.

государство	—	*прил.* государственный
страна	—	*прил.* — нет

Государственный	флаг, герб, гимн, язык: суверенитет; бюджет; договор…
Государственная	граница; политика; независимость; собственность…
Государственные	органы; интересы…

- **Правительство** (кабинет министров) — орган государственной исполнительной власти (как правило, состоит из премьер-министра и министров).

Глава, член, состав…	
Решение, обращение, заявление…	
Формирование…	**правительства**
Роспуск, смена, отставка…	
Переговоры **с** *каким* **правительством**	

Примеры: Парламентская делегация Франции находится в Москве по приглашению российского **правительства**. Парламент поставил вопрос о доверии **правительству**.

правительство — *прил.* правительственный

Правительственный	кризис, проект закона...
Правительственная	делегация, информация…

Примеры: Правительство готово обсуждать думские поправки к новому закону. А ко второму чтению **правительственную** и думскую версии можно объединить.

14. *Прочитайте предложения. Обратите внимание на употребление слов* **государство, страна, правительство.**

1) Нормализация отношений между двумя **государствами** привела к укреплению мира и безопасности. 2) По Конституции обязанности главы **государства** временно исполняет вице-президент. 3) Медики многих **стран** мира предпринимают усилия, чтобы остановить распространение СПИДа. 4) Рост цен на нефть вызвал инфляцию **в стране**. 5) **В этой стране** президент пришёл к власти в результате переворота. 6) **В стране** объявлен 40-дневный траур. 7) В результате достигнутой договорённости войска уходят **из страны**. 8) На заседании парламента члены **правительства** отвечали на вопросы депутатов. 9) Политика **правительства** привела к урегулированию межнациональных отношений. 10) **Правительство** заявило о намерении провести реформы в стране.

Р а з л и ч а й т е !

ПРОХОДИТЬ
ПРОИСХОДИТЬ

Комментарий

- **Проходить** — указывается временна́я протяжённость какого-либо события, явления.
- **Пройти** — указывается, что какое-либо событие, явление завершилось.

субъект	предикат			
что	а	б	в	
визит…			проходил/прошёл	*где*
беседа…	пройдёт	проходит	проходила/прошла	в *какой* обстановке
встреча…				под *каким* лозунгом
обсуждение…			проходило/прошло	*когда*
переговоры…	пройдут	проходят	проходили/прошли	*как*

а) речь идёт о будущем визите
б) речь идёт о визите, который проходит в момент сообщения
в) речь идёт о прошедшем визите

Примеры: Переговоры в Москве **проходили** успешно. Министр отметил на брифинге, что обсуждение этого вопроса **прошло** в серьёзной, конструктивной обстановке.

- **Происходить/произойти** — случаться, совершаться, возникать как следствие чего-либо (указывается, что имело место какое-либо случайное, непредсказуемое событие, явление).

субъект	предикат			
	а	б	в	
что	произойдёт	происходит	происходило/произошло	*когда* *где*

Примеры: Все газеты ежедневно сообщали, что **происходило** на этих переговорах. **Произошёл** значительный прогресс в обсуждении нового закона. Сильный взрыв **произошёл** в понедельник в клубе, расположенном в центре столицы.

15. *Прочитайте информационные сообщения. Ответьте на вопросы.*

А. Президент Финляндии принял делегацию Государственной Думы РФ, находящуюся в республике с официальным визитом.

В ходе беседы, прошедшей в тёплой, дружественной обстановке, президент Финляндии заявил о готовности его страны и впредь развивать и укреплять традиционные отношения дружбы и сотрудничества, сложившиеся между двумя государствами во всех областях. «В Финляндии, — сказал он, — внимательно следят за процессами, происходящими в России, и желают дружественному народу успехов в благородных усилиях по обновлению общества».

Со своей стороны, глава российской делегации рассказал о происходящих в России коренных переменах, об усилиях правительства и народа по проведению глубоких преобразований в стране.

1) В какой обстановке **проходила** беседа между президентом Финляндии и членами делегации России?
2) Какие перемены **происходят** в России?

Б. «Кризис цивилизации и поиски путей обновления мира» — под таким названием в Москве открылся симпозиум, в котором принимают участие видные политологи, экономисты, юристы. Учёные прибыли для того, чтобы обсудить общие проблемы кризиса цивилизации, которые особенно важны сейчас, в начале XXI века. Основной лозунг всех выступлений: «От равновесия страха к равновесию доверия — новая система международных отношений».

1) Под каким лозунгом **проходил** симпозиум учёных в Москве?
2) Какие изменения **происходят** в современном мире?

16. *По материалам свежих номеров газет подготовьте сообщение о каком-либо визите, о переговорах, которые проходят в настоящее время. Что происходит на них?*

СОВЕЩАНИЯ, КОНФЕРЕНЦИИ

конференция **конгресс**	международная научная	конференция по *какому* вопросу
форум **саммит**	международный всемирный	конгресс сторонников *чего* учёных
симпозиум **съезд** **ассамблея**	международный всемирный представительный	форум *кого*
совещание **сессия** **заседание**	саммит глав государств международный научный	симпозиум *кого*

съезд | партии
писателей
кинематографистов

Генеральная Ассамблея ООН

совещание | министров иностранных дел
членов «восьмёрки»

сессия | Генеральной Ассамблеи ООН

заседание | Совета Безопасности | утреннее
правительства | вечернее | заседание
парламента | пленарное

субъект	предикат	
конференция	а) состоится б) проходит в) состоялась	*когда где*

а) речь идёт о будущей конференции

б) речь идёт о конференции, которая проходит в момент сообщения

в) речь идёт о прошедшей конференции

1. *Прочитайте информационные сообщения. Передайте основную информацию сообщений.*

А. КОГДА? ГДЕ СОСТОИТСЯ? ЧТО?

Во вторник президент России отправляется в двухдневную зарубежную поездку, во время которой посетит с рабочим визитом Ташкент и примет участие в юбилейном саммите Шанхайской организации сотрудничества (ШОС) в Астане. Во время переговоров с президентом Узбекистана предполагается обсудить перспективы двустороннего торгово-экономического взаимодействия, в том числе в топливно-энергетическом комплексе.

Б. ГДЕ ПРОИСХОДИТ? ЧТО?

MIPIM – международная выставка недвижимости – представляет собой международный форум по вопросам недвижимости. Это место встречи руководителей компаний со всего мира, что позволяет им устанавливать долгосрочные деловые контакты, представлять друг другу новые проекты и закладывать основы плодотворного сотрудничества.

В. ГДЕ СОСТОЯЛОСЬ? ЧТО?

Лидеры России и Евросоюза собрались на рабочее заседание в рамках саммита РФ-ЕС в Нижнем Новгороде. На саммите планируется обсудить расширение сотрудничества в энергетике, перспективы отмены виз, реформирование мировых финансовых институтов, а также актуальные проблемы международной безопасности.

!

обсуждать/обсудить | начало конференции…
 повестку дня
 программу *чего*
 план *чего*

принимать/принять
 одобрить
 утвердить | завершение конференции
 резолюцию
 решение
 документ
 декларацию

включать/включить *что* в повестку дня
ставить/поставить *что* на повестку дня
снимать/снять *что* с повестки дня

выдвинуть, вносить/внести поддержать	предложение *о чём*

решать/решить (процедурные) вопросы
заслушать доклад, сообщение …
произнести речь…
выступить с речью, докладом, сообщением…

обратиться	с приветственной речью с призывом	*к кому*

заявить *что*, заявление

2. *Прочитайте информационные сообщения. Обратите внимание на выделенные словосочетания.*

А. НЬЮ-ЙОРК (ИТАР-ТАСС). Здесь открылась очередная **сессия Генеральной Ассамблеи ООН.** Первое **заседание открыл** вступительным **заявлением** председатель предыдущей сессии.

В ближайшие дни сессия **заслушает доклад** генерального секретаря ООН, **утвердит повестку** дня сессии, **решит** другие **процедурные вопросы.** В понедельник на сессии продолжится общая политическая дискуссия, **произнесёт речь** президент Соединённых Штатов. Утром следующего дня **с речью выступит** министр иностранных дел России.

— *Расскажите, как проходила работа очередной сессии Генеральной Ассамблеи ООН.*

Б. Внеочередной **съезд партии пройдёт** в городе Римини с 29 января по 2 февраля будущего года. **В повестке дня** — вопросы о названии, эмблеме и платформе новой партии. До середины ноября должны быть представлены **проекты** основной **резолюции** съезда.

— *Расскажите, какие вопросы будут рассмотрены на внеочередном съезде партии.*

где	предикат	*что (субъект)*
в Нью-Йорке	а) начнётся, откроется, начнёт работу	сессия генеральной Ассамблеи ООН
	б) проходит, продолжается	
	в) прошла, закончилась, завершилась, завершила работу	

а) речь идёт о будущей сессии
б) речь идёт о сессии, которая проходит в момент сообщения
в) речь идёт о прошедшей сессии

25

субъект	предикат	объект	чем
кто	открыл	конференцию съезд совещание	вступительным словом приветствием сообщением _о чём_

! Глаголы **открыть, закрыть** обычно употребляются, когда важна информация о реальном субъекте действия.

Примеры: **Открыл** конференцию председатель комиссии по правам человека. Конференцию **закрыл** председатель комиссии по правам человека. Вступительным словом совещание **открыл** президент.

субъект	предикат	объект	чем
кто	закончил	конференцию съезд совещание	дискуссией принятием _чего_

Пример: Участники конференции **закончили** её дискуссией по вопросам развития современных отношений между различными государствами.

субъект	предикат	чем
съезд	закончился	дискуссией
конференция	закончилась	принятием _чего_
совещание	закончилось	подписанием _чего_
переговоры	закончились	

Примеры: Очередная сессия Ассамблеи Международной организации гражданской авиации **закончилась** принятием ряда важных решений и документов. Принятием совместного заявления **завершилась** в Ялте консультативная встреча представителей двух парламентов. Работа конференции **закончилась** дискуссией по вопросам развития современных отношений между различными государствами.

3. *Прочитайте информационные сообщения. Обратите внимание на употребление выделенных словосочетаний. Ответьте на вопрос: какие события происходили в Париже, Москве и Хельсинки?*

А. Открылась конференция.

ПАРИЖ, 7. Сегодня здесь, в здании ЮНЕСКО, **открылась международная конференция** по химическому оружию.

Открыл конференцию президент Франции. С приветственной речью к собравшимся обратился генеральный директор ЮНЕСКО.

После официального открытия и обсуждения процедурных вопросов конференция избрала своим председателем министра иностранных дел Франции и приступила к общей дискуссии. **Она продолжится** до 11 января.

Б. Конференция завершена.

ПАРИЖ, 11. Сегодня во дворце ЮНЕСКО **завершила работу международная конференция** по химическому оружию — крупнейший за последнее время форум, посвящённый одному из кардинальных вопросов разоружения. В течение пяти дней представители 146 государств обсуждали пути освобождения человечества от угрозы химической войны.

Конференция закончилась пленарным заседанием, на котором была принята Заключительная декларация конференции по запрещению применения химического оружия.

В. Международная научная конференция.

В Москве начала работу **международная конференция** «Права человека в истории человечества и в современном мире». Она проводится в связи с годовщиной принятия Организацией Объединённых Наций Всеобщей декларации прав человека. Конференцию **открыл** приветственным словом президент Международной ассоциации юристов-демократов. Конференция **продлится** три дня.

Г. Защитить жизнь на земле.

ХЕЛЬСИНКИ, 5. В финском городе Эспо **закончилась III конференция** женщин европейских стран, США и Канады за мир и безопасность всех в Европе. В ней приняли участие представители 43 различных женских организаций из 17 стран. В течение двух дней работы на конференции обсуждались актуальные проблемы мира и безопасности.

По итогам конференции **было принято обращение** к женщинам и женским организациям стран.

4. *Прочитайте информационные сообщения. Перескажите их, употребив подходящий по смыслу глагол, данный в скобках, в нужной форме.*

А. «Побороть неграмотность»!

Под таким девизом (открыть/открыться) в Риме представительная трёхдневная конференция, приуроченная к Международному дню распространения грамотности. Конференцию (открыть/отрыться) председатель центра по распространению грамотности в мире сообщением, что, по данным ЮНЕСКО, сейчас на Земле проживает 860 миллионов взрослых людей, не умеющих ни читать, ни писать. Согласно прогнозам, к концу века их будет насчитываться 912 миллионов.

Б. Исполнением гимна Организации африканского единства (ОАЕ) (завершить/завершиться) очередная сессия ассамблеи глав государств и правительств стран — членов ОАЕ в Аддис-Абебе 26 июля.

5. *Составьте информационные сообщения, используя данные слова и словосочетания, а также материалы предыдущих сообщений.*

А. 23. 1. Москва

научно-практическая конференция	открылась
развитие конституционного процесса в России	посвящена
вице-президент вольного экономического общества	открыл
2 дня	продолжалась
вопросы безопасности	были рассмотрены
25. 1.	завершила свою работу

Б. 10. 11. Москва (Вена, Женева …)

конференция (конгресс …)	началась (начался)
председатель	
приветствие	открыл
неделя (3 дня …)	продолжалась (продолжался)
(*какие*) вопросы (проблемы)	были рассмотрены
принятие документа (декларации …)	закончилась (закончился)

Несогласованное определение, выраженное существительным в дательном падеже (см. с. 266)

	какая?
конференция	по решению экологических проблем

Пример: В Афинах начала работу конференция **по созданию безъядерной зоны.**

6. Поставьте вопрос к определению и дайте краткий ответ на него.

<u>Образец</u>. Съезд принял решения **по конкретным вопросам политики партии.** — **Какие** решения принял съезд партии? — **По конкретным вопросам политики партии.**

1) В Париже завершила свою работу международная конференция **по химическому оружию.** 2) 24-25 ноября в Москве состоялось очередное заседание Комитета **по научно-техническому сотрудничеству.** 3) Состоялась дружеская беседа **по вопросам дальнейшего развития российско-испанских отношений.** 4) В ходе беседы состоялся обмен мнениями **по актуальным международным вопросам.** 5) Итогом работы заседания рабочей группы стала выработка предложений **по совершенствованию российского законодательства.** 6) По распоряжению Президента РФ образован оргкомитет **по подготовке и проведению международной конференции.** 7) Конференцию открыл председатель центра **по распространению грамотности в мире.** 8) На пленарном заседании была принята Заключительная декларация конференции **по запрещению применения химического оружия.**

7. *Ответьте на вопросы, используя данные в скобках слова и словосочетания.*

1) Какие меры были намечены на заседании? (конкретные, расширение и улучшение сотрудничества в области науки и техники) 2) Какой доклад заслушали участники съезда? (вопросы дальнейшего организационного укрепления партии) 3) Какие предложения получили широкую поддержку у делегаций? (вопросы оказания технической помощи развивающимся странам) 4) На какой конференции закончилась общая дискуссия? (международная, вопрос о Палестине) 5) В работе какого форума принимает участие представитель России? (вопросы безопасности в северной части Тихого океана) 6) Какой дискуссией закончилась работа конференции? (развитие современных отношений между различными государствами) 7) Заседание какой комиссии было перенесено? (российско-южнокорейская межправительственная, торгово-экономическое и научно-техническое сотрудничество)

8. *Прочитайте информационное сообщение. Ответьте на вопросы.*

1) Где проходила работа Российско-американской комиссии по экономическому и технологическому сотрудничеству?
2) Какие договорённости были достигнуты в ходе работы этой комиссии?
3) К какому соглашению пришли стороны в результате работы этой комиссии?
4) Какие перспективы определили стороны во время переговоров?
5) В какой области США и Россия разрабатывают совместные проекты?

США и Россия разрабатывают проекты в области топлива и энергетики

Российские и американские эксперты приступили к реализации договорённостей о сотрудничестве в сфере энергетики, которые были достигнуты во время работы в Москве Российско-американской комиссии по экономическому и технологическому сотрудничеству.

Итогом этой работы стала выработка предложений по совершенствованию российского законодательства с целью привлечения частных инвестиций в топливно-энергетический комплекс, а также соглашение о создании российско-американской корпорации. Первый проект корпорации должен быть осуществлён в Москве, где предполагается построить восемь новых автозаправочных станций.

Стороны также достигли договорённости о финансовой поддержке совместного проекта правительства Москвы и американской фирмы «Энсера» по освещению столицы и кольцевой автодороги.

«Интерфакс»

Несогласованное определение, выраженное глаголом в инфинитиве (см. с. 272)

	какой?
призыв	обуздать гонку вооружений

Пример: В День ООН 24 октября делегации всех стран обращаются к миру с призывом **обуздать гонку вооружений.**

9. *Поставьте вопрос к определению и дайте краткий ответ на него.*

<u>Образец.</u> Участники конгресса обратились к парламентам европейских стран с призывом **не допустить размещения новых ракет в Европе. — С каким** призывом обратились участники конгресса к парламентам европейских стран? — **Не допустить размещения новых ракет в Европе.**

1) Цель этого форума — **привлечь внимание общественности к нарушениям прав человека в некоторых странах.** 2) Стороны подчеркнули своё стремление **предпринять меры, направленные на расширение экономического и культурного сотрудничества.** 3) С российской стороны была подтверждена готовность **развивать и углублять взаимовыгодное сотрудничество с Италией.** 4) Перед делегатами съезда стоит задача **выработать стратегию и тактику борьбы против социальной политики правящей партии.** 5) Интерпол обратился к странам — членам ООН с призывом **выделить дополнительные средства на борьбу против нарастающей в мире волны преступности и терроризма.**

ОБСУЖДАТЬ
ОСУЖДАТЬ

Комментарий

- **Обсуждать/обсудить** — высказывать своё мнение по поводу чего-либо, всесторонне рассмотреть какую-либо проблему.

□ **обсуждать** **обсудить**	*что*: вопрос, выступление, дело, деятельность *кого-чего*, доклад, документ, закон, заявление, кандидатуру *кого*, перспективы *чего*, план, положение *где*, предложение, проблему, проект *чего*, решение *кого*, трудности, условия *чего*… *где*: (*на чём*) на сессии, на заседании… (*в чём*) в печати…

Примеры: Роль международных конференций заключается в том, что они дают возможность более ясно представить суть проблем, **обсудить** их на международном уровне. В беседе, проходившей в деловой обстановке, **были обсуждены** перспективы дальнейшего экономического сотрудничества. Сессия не приняла никаких резолюций и итоговых документов по двум **обсуждаемым** темам.

○ деловое, конструктивное, специальное… **обсуждение**

Пример: После официального открытия и **обсуждения** процедурных вопросов конференция избрала председателя.

- **Осуждать/осудить** — выражать неодобрение, высказывать неодобрительное мнение.

□ **осуждать/осудить**	*что*: агрессию, *какую* акцию, взгляды *кого*, вмешательство *кого во что*, *какие* действия, заявление, идеи, *какой* курс, меры, намерение *кого*, нападение, план, позицию, политику, преступление, режим, *какой* шаг… *за что:* за измену…

Примеры: Выступающие на митинге **осудили** тех политиков, которые забыли свои предвыборные обещания. Один депутат **был осуждён** своими коллегами по парламенту за неэтичное поведение. Президент обязался освободить **осуждённых** за участие в антирасистской борьбе.

○ гневное, резкое, решительное… **осуждение**

Пример: Представитель оппозиции выступил с резким **осуждением** агрессивной политики правительства.

С р а в н и т е : **!**
Участники совещания **обсудили** внешнюю политику правительства.
(разобрали, высказали своё мнение)
Участники совещания **осудили** внешнюю политику правительства.
(высказали неодобрение)

10. Прочитайте информационные сообщения. Скажите:
А. 1. Какие вопросы **обсуждали** на конференции во дворце ЮНЕСКО?
2. Что **осудили** участники конференции?
Б. 3. Какие проблемы **обсуждали** на митинге?
4. Что **осудили** участники митинга?

А. Во дворце ЮНЕСКО завершила работу международная конференция по химическому оружию — крупнейший за последнее время форум, посвящённый одному из кардинальных вопросов разоружения. В течение пяти дней представители 146 государств обсуждали пути освобождения человечества от угрозы химической войны. В итоге на пленарном заседании была принята заключительная декларация конференции, которая является убедительным свидетельством того, что нетерпимость к химическому оружию возобладала в мировом сообществе. Создалась новая ситуация, дающая дополнительные шансы на то, чтобы раз и навсегда покончить с этим варварским оружием. Сама атмосфера конференции показала, что наступил поворот — от осуждения применения химического оружия к выработке конкретных мер по его ликвидации. Главная задача сейчас поэтому — выработка и подписание соответствующей конвенции, над текстом которой работа идёт уже давно.

Б. «Нет — фашизму и расизму!», «Запретить все нацистские группировки!» — под такими лозунгами состоялась крупная демонстрация общественности в знак протеста против проведения очередного съезда профашистской партии.

В ней приняли участие все те, кто обеспокоен ростом неофашистских настроений в стране. Выступающие на митинге отмечали, что правящие партии создают в стране политический климат, способствующий усилению профашистских организаций.

11. *Подберите к глаголам* **обсудить, осудить** *синонимы или анто-нимы из правой колонки.*

| обсудить/осудить | оправдать, одобрить; обвинить; рассмотреть, проанализировать |

12. *Составьте предложения, используя данные слова и словосоче-тания, употребите при этом глаголы* **обсуждать** *или* **осуждать.**

1) Специальная сес-сия Генеральной Ассамблеи ООН	проблема	производство и кон-трабанда наркотиков.
2) Участники форума	преступления воен-щины	в годы войны.
3) Участники между-народной конфе-ренции	дальнейшее накоп-ление и усовершен-ствование химического оружия	некоторые страны.
4) Министры	основные аспекты двусторонних отно-шений	во время встречи.
5) Делегаты	предложения, касаю-щиеся перспектив развития страны	оживлённые дискус-сии.
6) Общественность	журналисты	пользуются непрове-ренной информацией.
7) Разные силы стра-ны	попытки антиправи-тельственных группи-ровок	насильственным пу-тём свергнуть закон-ную власть.
8) Манифестанты	любые формы коло-ниализма на конти-ненте.	

13. *По материалам свежих номеров газет подготовьте сообщение о какой-либо конференции (форуме, конгрессе...), которая проходит в настоящее время (в вашей стране, в России, в любой другой стране).*

ВЫБОРЫ, ФОРМИРОВАНИЕ ПРАВИТЕЛЬСТВА

выбирать/выбрать *кого-что куда*   **избирать/избрать** *кого-что куда*
выборы   **избрание** *кого-чего*
выборность *чего*   **избиратель**
выборный   **избирательный**
предвыборный

Примеры: **На выборах** в парламент оппозиционная партия получила 105 из 217 депутатских мандатов. **Избрание** нового премьер-министра даёт надежду, что страна пойдёт по новому политическому курсу. Во время **избирательной** кампании одним из **предвыборных** обещаний кандидата на пост премьер-министра было обещание поднять уровень жизни малоимущим. Поэтому многие **избиратели** и отдали ему свои голоса. Новым премьер-министром **избран** лидер этой партии. **Выборность** всех органов власти — основное требование демократии.

выбирать/выбрать **избирать/избрать**	*что*: парламент, комиссию, президиум… *куда* (*во что*): в парламент, в комиссию, в президиум… *кого*: президента, депутата, председателя… *кем*: президентом, депутатом, председателем… *на какой* пост: на пост президента… *на какой* срок: на пять лет…

избирательный (-ая, -ое, -ые)	бюллетень округ участок закон	кампания комиссия система урна	право	права бюллетени
выборный (-ая, -ое, -ые)	орган	должность	—	органы
предвыборный (-ая, -ое, -ые)	марафон лозунг	борьба гонка кампания речь	собрание обещание	лозунги обещания

○ **Выборы** — внеочередные, всеобщие, демократические, досрочные, очередные, парламентские, повторные, предстоящие, президентские, прямые, равные, свободные…

△ **Выборы** — в конгресс, парламент, сенат, Национальное собрание, Думу…

Участие **в выборах.** Подготовка **к выборам.**

Голосование, победа, поражение, успех **на выборах.**

Кампания **по выборам** (**предвыборная** кампания).

☐ Вести **предвыборную** кампанию.

Назначать/назначить **выборы** на *какой* срок.

Проводить/провести **выборы.**

Идти /пойти **на выборы.**

Участвовать **в выборах.**

Отменять/отменить **выборы.**

Срывать/сорвать **выборы.**

Побеждать/победить **на выборах.**

Проиграть **выборы.**

субъект	предикат	
выборы	а) состоятся, пройдут	*когда, где*
	б) проходят	*как, когда, где*
	в) состоялись, прошли, проходили	*когда, где, как*

а) речь идёт о будущих выборах

б) речь идёт о выборах, которые проходят в момент сообщения

в) речь идёт о прошедших выборах

○ **Голос** — решающий…

△ Право **голоса.**

Большинство, *какое* количество, меньшинство, подсчёт, потеря, соотношение, число **голосов.**

Борьба **за голоса** *кого* (избирателей).

☐ Иметь **голос** (право **голоса**) *где.*

Отдавать/отдать, подавать/подать (свой) **голос** *за кого-что.*

Предоставлять/предоставить *кому* право **голоса.**

Лишать/лишить *кого* **голоса** (права **голоса**).

Считать/подсчитать **голоса** *кого.*

Получать/получить, набрать **голоса** (сколько **голосов**) *кого.*

Потерять **голоса** (сколько **голосов**) *кого.*

○ **Голосование** — открытое, тайное…

△ **Голосование** *где* — на выборах, референдуме…

Исход, итоги, процедура, результаты, ход **голосования.**

□ Проводить/провести **голосование** *за кого-что.*
Ставить/поставить *что* **на голосование.**
Воздерживаться/воздержаться **от голосования.**

голосовать/проголосовать	*за кого*: за кандидата, за представителя… *за что*: за *какое* предложение, за проект *чего*, за *какую* резолюцию… *против кого*: против кандидата, против представителя *чего*… *против чего*: против предложения, проекта, *какой* резолюции…

призывать *кого* решить отказаться	**голосовать** *за кого-что*

Примеры.

А. В стране прошёл референдум по вопросу о реформе Конституции. Большинство принявших в нём участие граждан **проголосовало** за внесение в текст Конституции предложенных 54 поправок. Против выступило 8,2 процента, остальные воздержались **от голосования** (опустили в урны чистые бюллетени). Официальный подсчёт **голосов** пока не закончен, однако практически уже не вызывает сомнений победа оппозиционной партии и её лидера. С большим трудом избрали редакционную группу — пять раз **голосовали за** её состав.

Б. В США стартует **предвыборная гонка кандидатов в** президенты. Первый раунд – это теледебаты. Они, традиционно, пройдут в прямом вечернем эфире телеканала CNN. Нынешний глава государства, который первый заявил свою **кандидатуру** на следующий срок, будет противостоять сразу шести оппонентам.

ТВ Центр «Вести» 13 июня 2011 г.

1. Прочитайте информационные сообщения. Обратите внимание на употребление выделенных слов и словосочетаний. Ответьте на вопросы.

А. Всеобщие выборы в стране, **состоявшиеся** в воскресенье, не определили нового президента этой латиноамериканской страны. Ни один из девяти **кандидатов** не смог **набрать больше половины голосов избирателей. Во втором туре голосования,** который должен **состояться** через месяц, будут участвовать **два кандидата.** Дальнейшую борьбу за высший государственный пост поведут **кандидат** правого блока и лидер независимой группировки.

1) Какие выборы проходили в Перу в воскресенье?
2) Почему будут проведены дополнительные выборы?
3) Кого избрал народ Перу?
4) Как проголосовали избиратели? Кому отдали свои голоса избиратели?

Б. Поражением партий правящей коалиции завершились состоявшиеся в воскресенье **выборы** в палату депутатов. **За кандидатов** христианско-демократического союза **было подано** лишь 37,8 процента **голосов избирателей** — на 8,6 процента меньше, чем **на предыдущих выборах.** Свободная демократическая партия **набрала менее 5 процентов голосов** и теперь вообще не будет представлена в городском парламенте. Как тревожное явление расценили многие политические наблюдатели тот факт, что **7,5 процента избирателей отдали свои голоса** за ультраправую партию, представители которой впервые войдут в палату депутатов. Ультраправые **вели предвыборную кампанию** под откровенно националистическими лозунгами.

1) Какие выборы проходили в столице в воскресенье?
2) За кого отдали свои голоса избиратели?
3) Что вызывает тревогу у политических наблюдателей?
4) Чем объясняют победу ультраправых?

2. Прочитайте и озаглавьте корреспонденцию. Поставьте вопросы к выделенным словосочетаниям.

37-летний священник, выдвинутый кандидатом на пост президента страны от Национального фронта (за демократию и перемены), является наиболее вероятным победителем **всеобщих выборов, которые состоялись в воскресенье.** Предварительные результаты голосования в ряде ведущих избирательных округов свидетельствуют о том, что **он опережает своего главного конкурента на высший государственный пост,** бывшего министра в кабинете свергнутого диктатора.

Как отмечают информационные агентства, **выборы проходили в сложной обстановке.** В памяти народа ещё свежи трагические события, когда попытка провести впервые после свержения диктатуры свободные выборы была сорвана сторонниками диктатора, развязавшими террор на избирательных участках. На этот раз серьёзных инцидентов отмечено не было. Вместе с тем **процедуру голосования** во многих местах **пришлось продлить из-за серьёзных недостатков в организации выборов**. Так, на многих избирательных участках не хватало бюллетеней для голосования. Ряд местных наблюдателей считает, что далеко не все избиратели смогли выразить свою волю.

В ходе нынешних выборов **три миллиона граждан, имеющих право голоса**, должны **избрать помимо президента 110 членов Национальной ассамблеи, а также руководителей местных органов власти.**

Подтвердите или опровергните сообщения. Употребите в начале высказывания слова: **Да, действительно,...** *или:* **Нет, это неверно (неправильно)...**

1) Во время выборов избирательные права граждан были нарушены.
   Во время выборов избирательные права граждан не были нарушены.
2) В результате выборов был избран новый президент.
   В результате выборов новый президент не был избран, должен состояться второй тур голосования.

3. 1) Составьте информационное сообщение, используя данные слова.

Панама	состоялись	
выборы	участвовали	780 000 избирателей
	избрали	505 депутатов (президента)

2) Составьте другое информационное сообщение, используя данные слова, о выборах в вашей (или любой другой) стране.

Выбирать/выбрать *что*: альтернативу, время, курс, место, метод, момент, направление, профессию, путь, работу, средство, тему, цель...
○ **Выбор** (*мн.* нет) — демократический, исторический, политический, самостоятельный...
△ **Выбор** момента, профессии, пути, *какого* строя...
   Право **на выбор** *чего*; право, свобода **выбора**.

!

□ Делать/сделать **выбор**.

Примеры: Избиратели сделали свой **выбор**: они отдали свои голоса за кандидатов правящей партии. Участники международной встречи обсуждали разные вопросы: где выход из кризиса, как реализовать право свободы **выбора** пути развития.

4. *Прочитайте информационное сообщение. Ответьте на вопросы.*

1) Какие **выборы** состоялись в стране?
2) Какой **выбор** сделал народ?

Сегодня в стране состоялся первый тур президентских выборов. С утра и до 8 вечера открыты были двери избирательных участков.

На пост главы государства было зарегистрировано шесть кандидатов. Как показал двухмесячный марафон предвыборной кампании, реальными претендентами на высокий пост всё же могли себя считать лишь двое.

Сколько процентов избирателей пришло сегодня к урнам, на ком окончательно они остановили свой выбор? Подождём подсчёта голосов. И пожелаем победившему в результате открытых выборов стать таким президентом, каким его хотел бы видеть народ.

□ Одержать победу **на выборах**.
Прийти к власти в результате победы **на выборах**.

сформировать распустить	правительство (кабинет)	
назначить *кого*	*кем* на *какой* пост	назначение *кого кем*

выдвигать/выдвинуть *кого* на *какой* пост
возглавлять/возглавить правительство (кабинет)

занимать/занять
сохранять/сохранить | пост *кого*
потерять

входить/войти в состав правительства (кабинета)
выйти из состава правительства (кабинета)
уйти с поста *кого*
подать в отставку с поста *кого*
принять отставку *кого*

отправить в отставку *кого*
принести присягу в качестве *кого* (президента)
привести к присяге *кого*

Примеры: Лидер победившей на выборах партии **был выдвинут на пост президента** страны. Как заявил президент, командующий вооружёнными силами страны будет **уволен в отставку** после пребывания на этом посту в течение последних 15 лет. В Перу **приведён к присяге** новый кабинет министров. Вместо **подавшего в отставку** премьер-министра **кабинет возглавил** бывший министр иностранных дел.

5. Прочитайте информационные сообщения. Расскажите, как вы поняли, какая ситуация сложилась в этих странах? Какое правительство будет сформировано в стране в ближайшие дни? С какой целью премьер-министр страны намерен подать в отставку?

А. Новое правительство будет сформировано в стране в ближайшие дни. В его состав войдут независимые деятели, свободные от партийного влияния. Об этом заявил премьер-министр , выступая в воскресенье по национальному телевидению. По его словам, беспартийный кабинет министров станет гарантом беспристрастного проведения в стране парламентских и президентских выборов.

Б. Премьер-министр страны выразил готовность уйти с поста главы правительства. В послании председателю правительственной партии он подчеркнул, что намерен подать в отставку в интересах единства страны и партии. Уже намечено проведение чрезвычайной сессии парламента, на которой правительство национального фронта будет добиваться вотума доверия. Но первый раунд переговоров был сорван из-за разногласий в парламенте.

6. Расскажите о правительстве вашей страны, используя данные словосочетания и вопросы.

Правительство сформировано *когда* в результате *чего*...
Во главе правительства стоит *кто*...
В состав правительства входят *кто* (представители *кого-чего*)
Когда произошли последние изменения (перестановки) в правительстве?
Кто назначен на какой пост?
Подавал ли кто в отставку? Почему?
Принял ли президент эту отставку?

Выражение причинных отношений *(см. с. 227).*

Простое предложение Предлоги	Сложное предложение Союзы и союзные слова
в результате *чего*	в результате того что
в связи *с чем*	в связи с тем что
благодаря *чему*	благодаря тому что
из-за *чего*	из-за того что
по *чему*	
в соответствии *с чем*	
согласно *чему*	
по случаю *чего*	
деепричастие	потому что
	поскольку

Примеры:

Эта партия пришла к власти **в результате выборов** (победы на выборах).

Эта партия пришла к власти **в результате того, что** победила на выборах.

Партии вступили в предвыборную борьбу **в связи с предстоящими выборами** в парламент.

Партии вступили в предвыборную борьбу **в связи с тем, что** в ноябре должны состояться выборы в парламент.

Эта партия одержала победу на выборах **благодаря широкой поддержке профсоюзов.**

Эта партия одержала победу на выборах **благодаря тому, что** её поддержали профсоюзы.

В стране были назначены досрочные выборы **из-за разногласий в правительстве.**

В стране были назначены досрочные выборы **из-за того, что** в правительстве усилились разногласия.

По требованию оппозиции были назначены досрочные выборы.

В соответствии с решением парламента выборы были назначены на май.

Согласно конституции страны выборы в парламент проходят каждые четыре года.

Новый президент получил много поздравлений **по случаю его избрания на высший государственный пост страны.**

Получив на выборах 100 мандатов из 120, эта партия сформировала правительство.

Эта партия пришла к власти, **потому что** она победила на выборах.

Эта партия пришла к власти, **поскольку** она победила на выборах.

7. *Прочитайте информационное сообщение. Скажите, почему в южных районах страны невозможно проводить выборы.*

Независимая избирательная комиссия признала невозможным в нынешних условиях проведение выборов в южных районах страны. В докладе, представленном президенту, комиссия охарактеризовала обстановку там как неподходящую для выборов в связи с «высоким уровнем политической нетерпимости, атмосферой страха и широко распространённым запугиванием». Введённое президентским указом чрезвычайное положение мало изменило ситуацию в регионе, где уже после указа в столкновениях погибло 111 человек.

8. *Закончите предложения, используя слова и словосочетания, данные справа. Употребите нужный предлог (см. с. 42).*

1) Эта партия не вошла в состав правительства… .	серьёзная неудача на выборах
2) Партия активно включилась в предвыборную борьбу… .	предстоящие парламентские выборы
3) В стране к власти пришёл новый президент… .	переворот
4) Парламент не смог сегодня начать работу… .	отсутствие кворума
5) Обязанности главы государства временно исполняет вице-президент… .	конституция
6) Премьер-министр объявил об отставке своего правительства, полномочия которого истекли… .	начало работы нового правительства
7) От имени французского правительства новому президенту Аргентины была направлена поздравительная телеграмма… .	победа на президентских выборах
8) Правящая партия потеряла абсолютное большинство в парламенте… .	повторные выборы на юге страны
9) Президент подписал указ о проведении парламентских выборов… .	существующий порядок

10) Эта партия получила легальный статус... .	действующие законы
11) Заседание сессии будет проходить на уровне глав правительств... .	достигнутая договорённость
12) Министру, возможно, придётся уйти в отставку... .	состояние здоровья

9. *Произведите синонимичную замену простых предложений из задания 8 на сложные (там, где это возможно).*

Выражение причинно-следственных отношений (см. с. 236)

С р а в н и т е :

Причина	Следствие
потому что	***поэтому***
Попытка государственного переворота была подавлена, **потому что** армия выступила на стороне правительства.	Армия выступила на стороне правительства, **поэтому** попытка переворота была подавлена.
так как	***так что***
Так как армия выступила на стороне правительства, попытка государственного переворота была подавлена.	Армия выступила на стороне правительства, **так что** попытка государственного переворота была подавлена.
в результате того, что	***в результате чего***
Попытка государственного переворота была подавлена **в результате того, что** армия выступила на стороне правительства.	Армия выступила на стороне правительства, **в результате чего** попытка государственного переворота была подавлена.
	в результате этого
	Армия выступила на стороне правительства, **в результате этого** попытка государственного переворота была подавлена.
в связи с тем, что	***в связи с чем***
Партии вступили в предвыборную борьбу **в связи с тем, что** в ноябре должны состояться выборы.	В ноябре должны состояться выборы, **в связи с чем** партии вступили в предвыборную борьбу.

10. *Прочитайте информационные сообщения. Обратите внимание на выражение следствия. Произведите синонимичную замену.*

О намерении провести плебисцит с тем, чтобы узаконить пребывание своего правительства у власти, объявил президент страны. Сразу после вторжения иностранных войск в республику президент был приведён к присяге на одной из военных баз. Такая «церемония передачи власти» шокировала многих государственных деятелей всего мира, в связи с чем стали раздаваться требования провести повторные выборы либо плебисцит, в ходе которого народ должен подтвердить полномочия нового правительства.

11. *Из двух простых предложений составьте два сложных: одно со значением следствия, другое — со значением причины.*

Образец. Эта партия потерпела на выборах поражение. Эта партия является сторонницей проведения жёсткого курса. — Эта партия является сторонницей проведения жёсткого курса, поэтому (в результате чего) она потерпела поражение на выборах. Эта партия потерпела поражение на выборах, потому что (в результате того, что) она является сторонницей проведения жёсткого курса.

1) Нынешние выборы проводятся досрочно. Премьер-министр распустил парламент за несколько месяцев до окончания работы.
2) В стране улучшилась политическая обстановка. В стране сегодня существует больше возможностей для справедливой предвыборной борьбы.
3) В ночь с 30 на 31 декабря в стране произошёл переворот. К власти в стране пришли военные.
4) Два политических лидера примут участие во втором туре президентских выборов. Они опередили соперников из других партий.
5) Президент страны поручил председателю партии сформировать новое правительство. На всеобщих выборах эта партия получила абсолютное большинство мест в парламенте.
6) В стране разразился правительственный кризис. Между правительственными партиями и оппозицией возникли острые разногласия по проекту государственного бюджета.

12. *Прочитайте корреспонденцию. Выполните послетекстовые задания.*

Новое правительство республики

Сегодня на совместном заседании обеих палат парламента приведён к присяге новый президент республики. Одновременно приведён к присяге вице-президент.

Президент — лидер партии, победившей 30 октября на всеобщих выборах. Выборы положили конец почти восьмилетнему пребыванию у власти военных и открыли новый период в политической жизни страны.

В своём первом послании парламенту новый глава государства отметил, что возглавляемое им правительство в качестве главной задачи считает укрепление демократии, создание таких условий, которые воспрепятствовали бы возвращению страны к прошлому. Он заявил, что намерен принять меры с целью покончить с социальной несправедливостью, нарушением конституционных свобод, коррупцией.

Правительство станет проводить независимую внешнюю политику в соответствии с предвыборной программой партии. Страна будет активно участвовать в движении неприсоединения, содействовать усилиям, направленным на политическое урегулирование в Центральной Америке. В этой связи он указал на необходимость прекращения вмешательства иностранных государств во внутренние дела центрально-американских стран.

Отметив, что страна переживает в настоящее время сложный период, вызванный кризисом национальной экономики, инфляцией и большой внешней задолженностью, президент сказал, что все усилия правительства будут направлены на решение наиболее острых социально-экономических проблем. Вместе с тем он предупредил, что не следует ожидать чуда и что эти проблемы невозможно решить за короткий срок.

В мероприятиях, связанных со вступлением в должность нового президента республики, приняли участие зарубежные делегации.

а) Ответьте на вопросы.

1) Почему приведён к присяге новый президент республики?
2) Почему новое правительство будет проводить независимую внешнюю политику?

3) Почему президент указал на необходимость прекращения вмешательства других государств во внутренние дела центрально-американских стран?

4) Почему страна в настоящее время переживает трудный период?

5) Почему не следует ожидать чуда при решении социально-экономических проблем?

6) Почему в страну прибыли зарубежные делегации?

б) Закончите предложения, используя материал корреспонденции.

1) Эта партия победила на выборах, поэтому...

2) Правительство будет проводить независимую политику, поэтому...

3) Страна переживает сложный период, вызванный кризисом национальной экономики, инфляцией и большой внешней задолженностью, поэтому...

4) Экономические проблемы невозможно решить в короткий срок, поэтому...

5) В столице проведены торжественные церемонии, связанные со вступлением в должность нового президента, поэтому...

в) Выберите правильное, по вашему мнению, утверждение. Аргументируйте своё мнение, используя материал корреспонденции.

1) Политика нового правительства будет отличаться от политики предыдущего правительства.

   Политика нового правительства не будет отличаться от политики предыдущего правительства.

2) Новое правительство сможет выполнить предвыборную программу.

   Новое правительство не сможет выполнить предвыборную программу.

| когда | *вин. п.* + назад: год назад |
| | *вин. п.* + спустя: год спустя |

С р а в н и т е :

Примеры: Эта партия пришла к власти **год назад.** И сейчас, **год спустя**, можно сказать, что она не оправдала надежд избирателей.

13. *Прочитайте информационное сообщение. Поставьте вопрос к выделенным словосочетаниям и дайте ответ на него.*

В столице приведён к присяге новый премьер-министр. Им стал лидер Народной национальной партии (ННП). С момента получения независимости в 1962 году страна живёт в условиях чередования у власти двух партий.

И вот **девять лет спустя** власть снова переходит к ННП. Её лидер в третий раз становится премьером. Ему предстоит руководить страной в гораздо более сложных условиях **чем десять или пятнадцать лет назад**. Новый премьер получил от своего противника — лидера другой партии весьма печальное наследие — огромный внешний долг.

когда	в ночь	с *какого* на *какое* с *чего* на *что*

Пример: В ночь с тридцатого на тридцать первое декабря в стране произошёл переворот.

14. *Прочитайте информационное сообщение. Поставьте вопрос к выделенному словосочетанию.*

Троекратное «Банзай» прозвучало **в ночь с воскресенья на понедельник** в штаб-квартире отделения правящей либерально-демократической партии (ЛДП) в префектуре Айти. Подсчёт голосов на проходивших там промежуточных выборах в палату советников парламента зафиксировал победу кандидата от ЛДП.

15. *Закончите предложения, используя слова и словосочетания, данные справа. Употребите предлог **при**.*

1) Оппозиция выступила против проекта президента … .	голосование
2) Мнение обеих палат Государственной Думы учитывается … .	решение важнейших вопросов
3) Голосование обязательно проводится … .	принятие закона
4) Каждый депутат может высказать своё мнение о новом законе … .	обсуждение нового закона
5) Представители всех партий должны присутствовать … .	подсчёт голосов
6) По словам руководителя аппарата правительства, не ставилась задача провести кадровую «чистку» … .	реорганизация аппарата правительства

16. *Прочитайте статью и скажите, почему оппозиция критикует избирательную систему.*

На словах и на практике

Правительственные круги страны и руководство правящей партии неизменно подчёркивают свою приверженность демократии. Высказываются они при этом, разумеется, в пользу равноправия всех граждан, и в частности в пользу равенства избирательных прав.

Однако равноправие избирателей соблюдается далеко не во всём. Свидетельство тому — опубликованный на днях доклад министерства внутренних дел. Так, в густонаселённых городах для избрания одного члена парламента требуется в несколько раз большее число голосов, чем в провинциальных префектурах.

Ещё более разительная картина заведомо неравной весомости голосов наблюдается при выборах в верхнюю палату парламента. Для избрания одного депутата верхней палаты по избирательному округу городской префектуры требуется 1 472 536 голосов избирателей, а для победы от сельской префектуры — всего лишь 229 540 голосов. Голос одного избирателя в сельской префектуре получается в шесть с лишним раз весомее, чем в городской. Где же, спрашивается, тут равенство?

Сколько ни публикуют журналисты критических статей по этому поводу, сколько ни поднимают этот вопрос в парламенте и за его пределами партии оппозиции, правительственные круги и лидеры правящей партии продолжают занимать в этом вопросе уклончивую позицию, предпочитая всячески затягивать его решение. Почему? Дело в том, что гораздо большая доля правящей партии, чем партии оппозиции, избирается в парламент именно от тех самых малонаселённых провинциальных округов, где в первую очередь требуется сокращение численности депутатов.

а) Перескажите основную часть статьи, используя данные слова и словосочетания.

избиратели	отдавать голос(а)	выборы
депутаты	получить голоса	избрание
(парламент)	голосовать	голос
	избирать	избирательная система

б) Расскажите (напишите) об избирательной системе в вашей стране, используя лексику данной статьи.

17. *По материалам свежих номеров газет подготовьте сообщение о выборах, которые прошли недавно (в вашей стране, в России, в любой другой стране); о предвыборной кампании, которая проходит в настоящее время где-либо.*

18. *Подготовьте сообщение о последних выборах президента (премьер-министра), в парламент, в местные органы власти, которые состоялись в вашей стране.*

ЗАБАСТОВОЧНОЕ ДВИЖЕНИЕ

всеобщая общенациональная длительная предупредительная сидячая	**забастовка** **стачка**	**забастовщик** **забастовочный** (стачечный) комитет **акция протеста**

субъект	предикат	
а) забастовка	состоится	*когда где при каком условии*
б) забастовка	проходит продолжается	*где* *сколько времени*
в) забастовка	состоялась проходила длилась продолжалась закончилась завершилась	*когда где* *где сколько времени* *сколько времени* *чем*

а) речь идёт о будущей забастовке
б) речь идёт о забастовке, которая проходит в момент сообщения
в) речь идёт о прошедшей забастовке

Пример: Предупредительная забастовка металлургов **состоится** 25 апреля.

объявлять/объявить начать проводить/провести устраивать/устроить	**забастовку**	*против кого*-чего в знак протеста *против чего* под лозунгом *чего*	по призыву по решению по инициати- ве *кого*

принимать участие в *какой* **забастовке**

1. Прочитайте информационное сообщение. Обратите внимание на употребление выделенных слов и словосочетаний.

Всеобщая забастовка грозит стране серьёзным транспортным параличом. **Стачку начали** сегодня диспетчеры воздушного движения. В понедельник с утра на территории страны отменяются все рейсы. Единственное исключение сделано для «Боинга», прибывающего из Нью-Йорка. Представители профессии, столь важной для безопасности полётов, **требуют повышения заработной платы**.

2. Прочитайте информационные сообщения. Передайте их содержание, заменив выделенные слова и словосочетания синонимичными словами и словосочетаниями, где это возможно.

А. Председатель стачечного комитета **объявил о прекращении забастовки, начатой** профсоюзами несколько дней назад под лозунгом свержения правительства.

Б. Сегодня **по призыву** крупнейших профсоюзных центров в стране **проходит общенациональная забастовка под лозунгами** повышения минимальной заработанной платы, замораживания цен на основные виды продуктов питания и товаров широкого потребления.

В. Рабочие **прекратили работу в знак протеста против планов администрации** уволить около тысячи человек.

Г. По Европе прокатилась новая волна общенациональных забастовок Во Франции на акцию протеста против экономических реформ правительства, прежде всего, пенсионной, вышли сотни тысяч госслужащих. Центр Парижа заполнила нескончаемая колонна демонстрантов: из-за шествия даже пришлось перекрыть движение транспорта на несколько часов.

Похожая картина накануне была на улицах греческих городов. Там бюджетники протестовали против программы жёсткой экономии, предложенной правительством из-за огромных государственных долгов.

требовать/потребовать	*чего* *+ инфинитив*	**!**

добиваться *чего*

После глагола **добиваться** инфинитив не употребляется.

Примеры: Шахтёры провели предупредительную забастовку.
Они **требовали** увеличить заработную плату.
Они **требовали** увеличения заработной платы.
Они **добивались** увеличения заработной платы.

3. *Составьте новые словосочетания, используя глаголы* **требовать** *и* **добиваться**.

повысить заработную плату, улучшить условия труда, улучшить социальные условия, прекратить преследования *кого*, снизить пенсионный возраст, признать право *кого* на *что*, решить проблемы безработицы, сократить продолжительность рабочего дня, восстановить на работе незаконно уволенных рабочих, отменить незаконные судебные решения, предоставить экономическую самостоятельность *чему*, заключить справедливый трудовой договор, изменить политику в области цен,

принять меры | для борьбы с безработицей
| по преодолению кризиса
| по сдерживанию роста цен

! выдвига́ть/выдвинуть *какие* требования (политические, экономические ...)

выступать/выступить | *против чего*
| *за что*
| с требованием + *инфинитив*

протестовать *против чего*
выражать/выразить протест *против чего*

Примеры: Рабочие профсоюза **выступили против массовых увольнений, за повышение зарплаты и улучшение условий труда**. Докеры выражают протест против тяжёлых условий труда, требуют **повышения заработной платы, совершенствования системы социального обеспечения**. Печатники **протестуют против репрессивных мер правительства**.

4. *Прочитайте информационное сообщение. Скажите, почему рабочие объявили забастовки? Обратите внимание на употребление выделенных словосочетаний.*

Серией забастовок ответили рабочие машиностроительного завода на решение властей привлечь к судебной ответственности 40 человек за **участие в забастовке** в прошлом году. Забастовщики выступили тогда против планов предпринимателей уволить часть работников.

Сейчас, год спустя, власти обвиняют их в «нарушении общественного порядка».

Действия судебных властей и предпринимателей вызвали возмущение трудящихся. На заводе прошло несколько **стачек протеста,** участники которых **потребовали** немедленно **прекратить преследования** тех, кто борется за права и интересы рабочих. Забастовщики выражают решимость **добиться отмены провокационных судебных решений.** Они справедливо расценивают их как попытку запугать участников забастовочного движения.

5. *Составьте новые словосочетания, используя глагол* ***выступать против чего, за что.***

безработица, высокий уровень безработицы, дороговизна, рост цен, рост стоимости жизни, тяжёлые условия труда, низкая заработная плата, незаконные увольнения, демократические реформы, восстановление на работе незаконно уволенных рабочих, обеспечение нормальных условий труда, обеспечение занятости, отмена законопроекта.

6. *Составьте новые сложные словосочетания из данных словосочетаний и глагола* ***выступать против чего, за что*** *по образцу*

Образец:
| уволить восстановить на работе | рабочих |

| выступать | против увольнения за восстановление на работе | рабочих |

| повысить снизить | цены на продукты | повысить снизить | жизненный уровень трудящихся |

| увеличить сократить | число рабочих мест | увеличить сократить | расходы на социальные нужды |

| улучшить ухудшить | условия труда, жизни | сохранить закрыть | завод, шахту |

| соблюдать нарушать | трудовые соглашения, технику безопасности |

7. *Расскажите, какие требования обычно выдвигают забастовщики в вашей стране.*

! **в знак протеста** *против чего* (указывается цель действий, направленных против чего-либо)

в знак протеста *против чего*	увольнений *кого*
	ухудшения *чего*
	роста *чего*
	каких условий *чего* (труда, жизни)
	какой политики *кого*
	испытаний *чего*

в знак солидарности *с кем-чем* (указывается цель действий, направленных в поддержку *кого-чего-либо*)

в знак солидарности *с кем-чем*	с бастующими рабочими (шахтёрами, докерами…)
	с манифестантами
	с борьбой *кого*

Эти словосочетания употребляются, когда речь идёт о массовых мероприятиях: забастовках, демонстрациях, митингах.

8. *Прочитайте предложения. Обратите внимание на употребление словосочетаний* **в знак протеста против, в знак солидарности с.** *Объясните их употребление.*

1) Голодовка политических заключённых началась в конце января в знак протеста против практики содержания их в тюрьмах без суда и следствия. 2) В знак протеста против политики террора и насилия на оккупированных территориях второй день продолжается забастовка. 3) Рабочие-полиграфисты прекратили работу в знак солидарности с бастующими металлистами. 4) По всей стране продолжаются выступления трудящихся в знак солидарности с уволенными за участие в стачках докерами.

9. *Закончите предложения, используя словосочетания* **в знак протеста, в знак солидарности** *и словосочетания, данные справа.*

1) Во многих городах состоялись массовые демонстрации металлургов… .	произвол предпринимателей
2) Представители профсоюза заявили о начале забастовки… .	сокращение рабочих мест

3) Докеры отказались разгружать импортный уголь… .	борьба горняков за право на труд
4) Тысячи жителей города приняли участие в демонстрации… .	требование партии зелёных закрыть вредное производство
5) Во многих городах прошли митинги и демонстрации… .	борьба рабочих нефтяной компании
6) Группа жителей города заняла здание префектуры… .	антирабочая политика правительства
7) Студенты устраивали демонстрации во многих городах… .	репрессии
8) Жители Хиросимы провели сидячую забастовку в Парке мира… .	проведение ядерных взрывов

Результат забастовки

Забастовка закончилась победой бастующих.

добиться *чего*
удовлетворять/удовлетворить *какие* **требования** *кого*
пойти на уступки

Примеры: Забастовка шахтёров **закончилась** их **полной победой**. Руководство шахт вынуждено было **пойти на значительные уступки**. Национальный профсоюз докеров призвал провести забастовку в ответ на отказ администрации **удовлетворить их требования**. Намечавшаяся на 12 мая предупредительная забастовка водителей пассажирского транспорта Москвы не состоится. Стачком **добился** от правительства Москвы **решения практически всех выдвинутых требований.**

Забастовка закончилась поражением бастующих.

столкновения
стычки   *кого с кем*

разгон демонстрации
увольнять/уволить *кого откуда*
увольнение *кого*

Примеры: Мирная манифестация **закончилась стычками** с полицией. Компания **уволила** тысячу нефтяников, принявших участие в забастовке.

приводить/привести вести	к чему	Конфликты между администрацией и рабочими **привели к забастовкам.**
вызывать/вызвать *что*		Конфликты между администрацией и рабочими **вызвали недовольство трудящихся.**
причинять/причинить *что чему*		Длительная забастовка **причинила огромный ущерб** экономике страны.

10. *Перед вами два информационных сообщения. Можно ли догадаться, о чём в них идёт речь по первым предложениям?*

А. Чёрные флаги протеста вновь развеваются сегодня на улицах городов. Их несут колонны рабочих и служащих, принимающих участие в многочисленных демонстрациях, которые проводятся здесь в связи с началом новой, второй за последние две недели всеобщей 48-часовой забастовки. Она объявлена по инициативе крупнейшего профсоюзного объединения страны — Всеобщей конфедерации труда в знак протеста против внесённого правительством в парламент законопроекта о реформе системы социального обеспечения. Профсоюзы считают, что эта реформа приведёт к резкому ухудшению положения широких и наименее обеспеченных слоёв населения.

Б. Несколько дней подряд в столице по вечерам гаснет свет: продолжается забастовка служащих государственной электрической компании. Они протестуют против социально-экономической политики правительства, которая ведёт к массовым увольнениям, наносит удар по социальным завоеваниям трудящихся.

Выражение уступительных отношений (см. с. 242)

Простое предложение	Сложное предложение
несмотря *на что*	несмотря на то что хотя

Примеры: Хозяева приняли окончательное решение закрыть завод, **несмотря на** многочисленные протесты рабочих. **Несмотря на то что** на шахте часто бывают аварии, шахтёры протестуют против её закрытия.

11. *Произведите синонимичную замену простых предложений на сложные.*

<u>Образец.</u> Докеры намерены продолжать забастовку, **несмотря на** угрозу увольнения.— Докеры намерены продолжать забастовку, **несмотря на то что** им угрожает увольнение. Докеры намерены продолжать забастовку, **хотя** им угрожает увольнение.

1) Женщины выступают за продолжение забастовки, несмотря на трудности и лишения, выпавшие на долю их семей. 2) Бастующие выразили твёрдую решимость отстаивать свои права, несмотря на сопротивление предпринимателей. 3) Несмотря на репрессии властей, шахтёры полны решимости довести забастовку до конца. 4) Несмотря на удовлетворение некоторых требований, активисты профсоюза призвали бастующих продолжать забастовку. 5) Несмотря на протесты общественности, правительство проводит репрессивную политику в отношении бастующих горняков. 6) Несмотря на столкновения между полицией и участниками рабочих пикетов у ворот фабрики, уже месяц продолжается борьба за восстановление на работе шестерых уволенных рабочих.

12. *Прочитайте информационное сообщение. Скажите, почему полиция разогнала демонстрацию студентов слезоточивым газом?*

В стране продолжаются выступления против принятого правительством законопроекта о резервировании рабочих мест. Более трёхсот студентов устроили демонстрацию у резиденции премьер-министра, несмотря на запреты полиции. Они пытались проникнуть на её территорию и вручить главе правительства меморандум с требованием отставки. Мирная демонстрация закончилась стычками с полицией, которая вынуждена была применить для разгона её участников слезоточивый газ.

13. *Прочитайте предложения. Ответьте на вопросы.*

1) Рабочие-полиграфисты прекратили работу на 24 часа в знак солидарности с бастующими металлистами.

   а) На сколько времени прекратили работу рабочие-полиграфисты?

   б) Сколько времени будет продолжаться забастовка рабочих-полиграфистов?

   в) Через сколько времени рабочие-полиграфисты возобновят работу?

2) Хозяева завода и рабочие подписали новое трудовое соглашение сроком на 5 лет.

а) На какой срок подписано новое трудовое соглашение?

б) Сколько времени будет действовать новое трудовое соглашение?

в) Когда кончится срок действия подписанного соглашения?

3) Парализовав экономическую жизнь страны на три недели, стачка настолько накалила политические страсти, что возникла реальная угроза новой гражданской войны.

а) На сколько времени была парализована экономическая жизнь страны в результате стачки?

б) Сколько времени была парализована экономическая жизнь страны?

в) Через сколько времени экономическая жизнь страны была восстановлена?

4) Правительство решило отсрочить на два дня начало очередного раунда национального диалога по вопросам социально-экономической политики.

а) На сколько времени отсрочили начало очередного раунда национального диалога по вопросам социально-экономической политики?

б) Через сколько времени начнётся очередной раунд национального диалога по вопросам социально-экономической политики?

14. *Прочитайте корреспонденцию. Поставьте вопросы к выделенным словам и словосочетаниям. Выполните послетекстовые задания.*

Виноваты ... хозяева

Владельцы газеты, отказавшие бастующим служащим в продлении трудового соглашения, начали нанимать на их места новых сотрудников.

До начала стачки в газетные киоски и к подписчикам ежедневно поступало 1,2 миллиона экземпляров этого издания. Газета, кстати, выходит уже **более 70 лет**, а это в мире острейшей конкуренции совсем немало. **За прошлый год** её оборот составил 420 миллионов долларов.

Владельцы же газеты тем не менее постоянно жалуются на убытки. **С января этого года** велись затяжные переговоры с профсоюзами о необходимости сокращения штатов, зарплаты и льгот для работающих.

Владельцу газеты трудовой конфликт был нужен как воздух для того, чтобы покончить с профсоюзами раз и навсегда. Вот почему давно был набран и готовился "принять дела" в случае забастовки отряд штрейк-брехеров, которые сделали пробный номер газеты ещё **несколько месяцев назад**.

Срок очередного контракта владельцев с профсоюзами истёк **в марте**. Намерение профсоюзных лидеров продлить действие соглашения **на время переговоров с предпринимателями** и передать дело в арбитражную комиссию было сорвано судебным иском владельцев.

После того как было уволено несколько водителей, доставляющих газеты на грузовиках, стачка стала неизбежной. **С её началом** забастовщики потеряли право на получение от владельцев выплат, обычно причитающихся в случае «законного увольнения». «Профсоюзы уже проиграли», — так прокомментировал это обстоятельство один из местных журналистов.

Буквально **через час после начала событий** появились давно «заготовленные» штрейкбрехеры, которые заняли рабочие места бастующих под охраной конной полиции.

Однако сделанный залётными гостями первый номер газеты поступил к читателю в сильно урезанном виде — как по количеству полос, так и по тиражу. Статьи давались без подписи — писавшие их не желали показывать, что пересекли линию пикета и тем самым пошли против забастовщиков. **После этого** владельцы резко поменяли тактику и предложили «всем желающим» участникам стачки вернуться на рабочие места «в индивидуальном порядке». Желание предпринимателей — расколоть ряды забастовщиков — было слишком прозрачным, чтобы его не раскусить. На уловку пока никто не клюнул. Единственная надежда забастовщиков в нынешних условиях — продолжать борьбу **до полного банкротства газеты**.

а) *Составьте простые или сложные предложения, используя словосочетания, данные справа. Употребите нужные предлоги или союзы.*

1) Газета выходила тиражом 1,2 миллиона экземпляров	начало забастовки
2) Оборот газеты составил 420 миллионов долларов	прошлый год
3) Забастовщики потеряли право на получение выплат, причитающихся в случае «законного увольнения»... .	началась забастовка

4) Владельцы газеты вели переговоры с профсоюзами	январь этого года
5) Срок контракта владельцев с профсоюзами истёк	март
6) Штрейкбрехеры появились на рабочих местах	час — начало забастовки
7) Штрейкбрехеры сделали пробный номер газеты	несколько месяцев назад
8) Профсоюзные лидеры хотели продлить действие трудового соглашения	на время переговоров
9) Владельцы газеты подали в суд на профсоюз	профсоюзные лидеры намеревались передать дело в арбитражную комиссию
10) Владельцы газеты поменяли тактику	провал первого номера газеты, сделанного штрейкбрехерами
11) Стачка началась	увольнение нескольких водителей
12) Забастовщики продолжают борьбу	полное банкротство газеты

б) Передайте основное содержание корреспонденции по плану:

1) Начало забастовки.
2) Причины забастовки.
3) Цели забастовки.
4) Ход забастовки: действия забастовщиков;
                     действия владельцев газеты.
5) Результат забастовки.

Р а з л и ч а й т е !

┌─────────────────┐
│ БЕСПОРЯДКИ   │
│   │
│ ВОЛНЕНИЯ   │
└─────────────────┘

Комментарий

● **Беспорядки** (только *мн.*) — массовые народные выступления (обычно стихийные) политического или экономического характера (часто приводят к человеческим жертвам или материальному ущербу).

О Внутренние, массовые **беспорядки**.

△ Возникновение, волна, ликвидация, подавление, предотвращение, причина **беспорядков**. Участие *кого* **в беспорядках**.

□ Вызывать/вызвать **беспорядки** *где*.

Устраивать/устроить Учинять/учинить Пресекать/пресечь	**беспорядки** *где*.

Беспорядки	вспыхнули, начались продолжаются (не) прекратились	*где*.

Пример: В ходе вспыхнувших в этом городе **беспорядков** убиты 42 человека, многие десятки ранены.

• **Беспорядок** (*только ед.*) — 1) отсутствие или нарушение порядка где-либо. **!**

Пример: Местные власти решили покончить **с беспорядком** на улицах города (навести чистоту).

2) отсутствие организованности, налаженности в чём-либо (*син.* хаос, неразбериха).

Пример: Нерешительность властей только способствует **беспорядку** в торговле.

• **Волнения** (только *мн.*) — массовое проявление недовольства, протеста *против кого-, чего-либо*.

О Антиправительственные, крестьянские, народные, рабочие, студенческие; массовые, широкие; стихийные, бурные; недавние, новые, прошлогодние **волнения**.

△ **Волнения** *среди кого*: среди рабочих, студентов, школьников... Начало, подавление, причина, усиление, *какой* характер **волнений**. Участие *кого* **в волнениях**.

□ Вызывать/вызвать, провоцировать/спровоцировать **волнения** *кого*. Бояться, опасаться **волнений** *кого*.

Подавить (*св.*) **волнения** *кого*.

Участвовать **в** *каких* **волнениях**.

Волнения	начались, вспыхнули, произошли *где*.
	усиливаются, распространились *на что*, охватили *кого-что*.
	прошли по всей стране.
	(не) прекращаются, не утихают, продолжаются.

Пример: Не утихают **студенческие волнения**, в которых уже вторую неделю участвуют представители почти всех столичных вузов.

! Можно сказать:

В порту продолжаются **волнения** докеров. В порту продолжаются **беспорядки**.

Нельзя сказать:

В порту продолжаются **беспорядки** докеров.

- **Волнение** (только *ед.*) — нервное состояние, беспокойство, вызванное чем-либо (страхом, радостью, ожиданием) у какого-либо человека.

Пример: Отец ничем не выдавал своего **волнения**.

15. *Прочитайте информационные сообщения. Скажите, чем вызваны беспорядки в городе (в стране) и каковы их последствия?*

А. 80 человек погибли, когда солдаты открыли огонь по демонстрации. Несколько дней подряд в городе не стихают бурные антиправительственные волнения с требованием демократических реформ. Беспорядки вспыхнули с особой яростью после того, как в минувшую пятницу армейские части учинили расправу над студентами. В ответ тысячные толпы заполнили центр города. Они громят государственные учреждения, магазины, принадлежащие членам руководства страны. Национальное объединение трудящихся объявило всеобщую забастовку, настаивая на отставке президента и его кабинета. В ответ власти объявили чрезвычайное положение и ввели комендантский час.

Б. После бурных волнений, произошедших в нескольких городах 14 декабря, обстановка там нормализуется, хотя, по сообщениям очевидцев, ещё ощущается напряжение.

Улицы в городе, где столкновения между бесчинствовавшей молодёжью и силами порядка были наиболее ожесточёнными, патрулируются отрядами полиции. Произведены массовые аресты. Кровавая трагедия унесла жизни пяти человек — так утверждают власти. Значительно большее число убитых называют представители профсоюзов. Материальный ущерб от погромов предварительно оценён в пятнадцать миллионов долларов.

Выступая в парламенте по горячим следам беспорядков, премьер-министр объявил о мерах правительства, предпринимаемых с целью повысить жизненный уровень народа.

16. *Произведите там, где возможно, синонимичную замену существительных* **беспорядки, волнения**. *Объясните те случаи, когда замену произвести нельзя.*

1) Правительство возложило ответственность за беспорядки и насилие на экстремистов. 2) Продолжаются волнения среди студентов и школьников, протестующих против решения правительства увеличить плату за обучение. 3) Начался судебный процесс над теми, кто пытался спровоцировать население на беспорядки. 4) За время беспорядков погибли уже 43 человека, сотни получили ранения. 5) Волна студенческих волнений захлестнула столицу и другие города страны. 6) Массовые беспорядки вспыхнули в городе. Несколько сот молодых людей вышли на улицы, круша всё на своём пути.

17. *Прочитайте информационное сообщение и скажите, почему парламент начал обсуждение ситуации в стране.*

Национальное собрание в срочном порядке начало обсуждение положения в стране в связи с имевшими там место беспорядками. Члены парламента отмечают, что за этими волнениями стоят оппозиционные деятели, часть из которых была арестована на прошлой неделе. В распространённом здесь сообщении правительства указывается, что в результате прошедших в столице и ряде других городов беспорядков 20 человек погибли, 63 получили ранения, более тысячи арестованы. Представитель правительства отметил также, что в результате принятых властями мер обстановка в столице нормализована.

ЭКСТРЕМАЛЬНЫЕ СИТУАЦИИ

вооружение | вооружённый
военный | **конфликт** *между кем*

вооружённые **столкновения, вылазки**

напряжённая обстановка *где* | **акты** | **террора**
насилия

а) законные власти | б) повстанцы
правительственная армия | патриотические силы

правительственные | силы
войска | вооружённые экстремисты
вылазки экстремистов

армейские части | вооружённые
военные
антиправительст-
веные | **формирования**

| противоборствующие | силы
организации

враждующие группировки

вводить/ввести войска *куда* | объявить войну *кому* (правительству)

а) речь идёт о стороне, которая поддерживает правительство;
б) речь идёт о силах, которые выступают против правительства

чрезвычайное положение — объявлять/объяви́ть чрезвычайное положение

комендантский час — вводить/ввести комендантский час

огнестрельное оружие — применять/применить | огнестрельное оружие
гранаты со слезоточивым газом — | *какие* гранаты

открывать/открыть огонь по *кому-чему*

кто — **военнопленный; заложник; беженец**

Примеры: Выступая перед большой группой **беженцев**, президент выразил надежду на то, что его соотечественники прекратят **вооружённый конфликт между собой. Армейские части введены** в город, чтобы положить конец имеющим там место **столкновениям.** Стремясь сбить нарастающую волну народных выступлений, президент **ввёл** в столице **комендантский час.** Правительство продлило на 60 дней **чрезвычайное положение** в стране из-за непрекращающихся **вылазок вооружённых экстремистов.**

урегулирование	кризиса *где* обстановки *где*	мирное урегулирование *чего* мирные условия национальное примирение

вооружить	≠ разоружить *кого* расформировать *что*

вести начать продолжить прервать	переговоры с *кем*	приложить усилия сложить оружие (прекращение огня *где*)

Примеры: Один из руководителей партии заявил, что процесс **мирного урегулирования** в стране сталкивается с трудностями по вине режима и что его партия не исключает возможности **прервать переговоры** с правительством. Правительство намерено **продолжать усилия**, чтобы переговоры с **вооружёнными формированиями** состоялись. В год окончания войны были **разоружены** и **расформированы** все **вооружённые группировки**.

1. Скажите по-другому:

прекратить огонь — прекращение ...

передать власть — передача ...

сдать оружие — сдача ...

сменить правительство — смена ...

распустить вооружённые формирования — роспуск ...

разогнать митинг — разгон ...

разгромить группировку — разгром ...

расколоть оппозиционные партии — раскол ...

2. Прочитайте информационные сообщения. Обратите внимание на употребление слов и словосочетаний, данных в рубрике «Запомните!» (с. 64). Можно ли сделать вывод о том, как автор относится к участникам конфликта? Аргументируйте своё мнение.

А. Практически завершена демобилизация вооружённых отрядов. Оружие сложили около 15 тысяч бойцов антиправительственных формирований. Эти данные подтверждают международные силы ООН по поддержанию мира в этом регионе, под контролем которых в стране проходит разоружение этих формирований. 26 июля отряды передадут представителям ООН своё вооружение. На следующий день запланирована церемония сдачи личного оружия военными руководителями формирований, включая их командующего.

Б. Не менее 25 повстанцев погибли в понедельник в ходе боёв с правительственными войсками на востоке страны. По сообщению спутникового телеканала «Аль-Джазира», десятки повстанцев получили ранения и были доставлены в госпиталь.

В. Северо-восточные районы страны всё ещё находятся под контролем повстанцев. Такое утверждение содержится в обнародованном в понедельник коммюнике Партии патриотического фронта. В нём приводится сводка о продолжающихся боях между повстанцами и правительственными войсками. По данным фронта, с момента захвата 2 ноября пограничного поста были убиты около двухсот солдат правительственной армии. За это же время, утверждается в коммюнике, разгромлены пять автотранспортных колонн правительственных войск. Повстанцы контролируют ряд дорог, по которым осуществляются перевозки продовольствия и других важных для страны грузов.

Выражение целевых отношений (см. с. 237)

Простое предложение	Сложное предложение
для *чего* в целях *чего* с целью *чего* цель + *инф.*	чтобы для того чтобы

Примеры: В парламенте создана комиссия **для** подготовки документа о продлении чрезвычайного положения в стране. **В целях** безопасности все суда должны иметь дополнительные защитные средства. Закон о чрезвычайном положении в стране был принят в прошлом году **с целью** вывода страны из экономического кризиса. Правительство вводит армейские части в столицу **с целью** прекратить там вооружённые столкновения между враждующими группировками. Правительство ввело армейские части в столицу, **чтобы** прекратить там вооружённые столкновения между враждующими группировками.

3. *Закончите предложения, используя словосочетания, данные справа. Употребите предлоги для, в целях, с целью.*

<u>Образец.</u> Правительство вынуждено принять меры — обеспечение национальной безопасности страны. — Правительство вынуждено принять меры **в целях** обеспечения национальной безопасности страны.

1) Генерал приказал перейти на сторону законных властей	обеспечение национальной безопасности страны
2) В стране создан широкий демократический фронт	решение проблем, беспокоящих общество
3) В столицу из провинции прибыли войска	предотвращение новых актов террора и насилия
4) Стороны продолжают политические контакты	прекращение огня в регионе
5) Роспуск вооружённых формирований должен быть осуществлён до 25 апреля	передача власти в мирных условиях
6) В стране происходит объединение левых сил	нормализация обстановки в стране

4. *Сравните два варианта одного сообщения. Какой вариант легче для понимания? Аргументируйте своё мнение.*

а) Правительство решило отсрочить на два дня начало очередного раунда национального диалога по вопросам социально-экономической политики. По словам представителя правительства, это решение принято с целью дать профсоюзам время для определения позиции относительно дальнейшего участия в диалоге.

б) Правительство отсрочило на два дня начало очередного раунда национального диалога по вопросам социально-экономической политики с тем, чтобы профсоюзы за это время определили, будут ли они участвовать в этом диалоге.

5. *Произведите синонимичную замену простых предложений на сложные, используя материал задания 3.*

<u>Образец.</u> Правительство вынуждено принять меры **в целях** обеспечения национальной безопасности страны. — Правительство вынуждено принять меры, **чтобы** обеспечить национальную безопасность страны.

6. *Прочитайте информационное сообщение. Скажите, с какой целью собрались тысячи людей в центре города.*

На главных улицах и площадях города собрались тысячи людей. Они принимают участие в массовой акции под лозунгом «Спасём единство!». Главная цель этого мероприятия — привлечь внимание всех патриотических сил страны к взрывоопасной ситуации в штате, мобилизовать общественность на борьбу с сепаратизмом и экстремизмом.

7. *Составьте два предложения: одно простое, другое — сложное, используя данные предложения.*

<u>Образец</u>.Правительство ввело войска в город. Цель этого — восстановление порядка в городе. — Правительство ввело войска **с целью** восстановления порядка в городе. Правительство ввело войска в город, **чтобы** восстановить порядок.

1) Комиссия постановила провести переговоры со всеми враждующими группировками. Цель переговоров — выработка предложений по урегулированию кризиса в регионе.

2) В стране созданы новые структуры власти. Цель создания новых структур власти — реформа политической системы страны.

3) Полиция применила огнестрельное оружие и гранаты со слезоточивым газом. Цель этой акции — разгон митинга протеста против повышения платы за жильё.

4) Необходимо продолжить переговоры между враждующими группировками. Цель переговоров — скорейшее политическое урегулирование обстановки в стране.

5) Министерство юстиции приступило к консультациям с главным полицейским управлением. Цель этих консультаций — внесение необходимых изменений в законодательство.

6) Жители деревень, на месте которых хотят заложить парк, создали организацию. Цель организации — защита интересов земледельцев.

Выражение уступительных отношений (см. с. 56, 242)

8. *Из двух простых предложений составьте сложные предложения с уступительным значением.*

<u>Образец</u>.На юге страны сохраняется напряжённая обстановка. Войска предпринимают меры для обеспечения там спокойствия. —

Несмотря на то что (**хотя**) войска предпринимают меры для обеспечения спокойствия, на юге страны сохраняется напряжённая обстановка.

1) Вооружённые формирования не намерены складывать оружия. Предстоит смена правительства.

2) Война давно прекратилась. Воевавшие стороны не завершили обмен военнопленными.

3) Международное эмбарго по сути изолировало страну от всего мира. Эмбарго не оказывает никакого воздействия на вооружённые силы страны.

4) Формальная повестка дня не планируется. Одной из главных тем встречи будет вопрос об уничтожении вооружённых формирований на юге страны.

5) На юге страны продолжают действовать вооружённые группы. Полиция предпринимает отчаянные действия.

6) В последнее время приток беженцев уменьшился. Каждую неделю в страну приезжает около пяти тысяч человек.

9. *Закончите предложения.*

1) Несмотря на достигнутое соглашение, ...
   Несмотря на то что соглашение было достигнуто, ...

2) Несмотря на протесты общественности, ...
   Несмотря на то что общественность продолжает протестовать, ...

3) Несмотря на противодействие оппозиции, ...
   Несмотря на то что оппозиция выступает против политики правительства, ...

4) Несмотря на разногласия при обсуждении этого вопроса, ...
   Несмотря на то что при обсуждении этого вопроса возникли разногласия, ...

5) Несмотря на прекращение огня, ...
   Несмотря на то что огонь был прекращён, ...

6) Несмотря на роспуск вооружённых формирований, ...
   Несмотря на то что вооружённые формирования были распущены, ...

Выражение условных отношений *(см. с. 240)*

Простое предложение	Сложное предложение
в случае *чего*	I. если, (то) в случае, если II. если бы

Примеры: **В случае** необходимости в город будут введены войска. **Если** вооружённые столкновения прекратятся, (**то**) правительственные войска уйдут из города. **В случае**, **если** беспорядки не прекратятся, правительство оставляет за собой право использовать полицию.

Если бы вооружённые столкновения прекратились, правительственные войска ушли **бы** из города.

10. *Прочитайте информационное сообщение. Выполните послетекстовое задание.*

В стране создалась принципиально новая обстановка. Основная сила, выступавшая против правительства, разгромлена. Лидер одной оппозиционной группировки объявил о том, что готов разоружить подчиняющиеся ему формирования, если то же самое сделают и другие группировки, а также готов войти в правительство национального единства.

— *Закончите предложения, используя информацию сообщения.*

1) Лидер оппозиционной группировки разоружит подчиняющиеся ему формирования, если...
2) Лидер оппозиционной группировки не разоружит подчиняющиеся ему формирования, если...
3) Лидер оппозиционной группировки войдёт в правительство национального единства, если...
4) Лидер оппозиционной группировки не войдёт в правительство национального единства, если...

11. *Составьте сложные предложения, используя союз* **если**. *Объясните смысловую разницу этих двух предложений.*

<u>Образец.</u> Произойдёт вооружённый конфликт. Пострадают заложники. —
   а) Если произойдёт вооружённый конфликт, пострадают заложники.
   б) Произойдёт вооружённый конфликт, если пострадают заложники.

70

1) Рассмотрением этого вопроса в очередной раз займётся новый парламент. Компромисс не будет достигнут.

2) В городе возникнут сложные социальные и экономические проблемы. В город введут войска.

3) Оппозиционные партии будут допущены к участию в управлении страной. Оппозиционные партии пойдут на переговоры, и результаты переговоров одобрит весь народ.

4) Проблема вооружённых сил (не) будет решена в ходе очередного раунда переговоров между правительством и повстанцами. Гражданская война будет продолжаться (кончится).

5) В будущем международное сообщество не сможет противостоять агрессору. Мир примирится с совершённой агрессией.

6) Премьер-министр намерен использовать войска против повстанцев. Ведущиеся переговоры с повстанцами закончатся безрезультатно.

12. *Прочитайте отрывок из интервью премьер-министра. Обратите внимание на употребление условной конструкции. Как вы поняли, началась или нет подготовка к выборам в стране. Аргументируйте своё мнение.*

Перед нами стоит задача преодолеть раскол, распространить власть законного правительства на всю территорию страны и обеспечить таким образом элементарные условия для стабильности, мира и возрождения. Сделан большой шаг на пути национального примирения. Следующий шаг — роспуск всех военных формирований. Для этого отводится полгода, но если бы мы смогли добиться этого раньше, мы могли бы раньше начать подготовку к всеобщим парламентским выборам.

13. *Закончите предложения. Объясните смысл полученных предложений.*

1) Если наступит кризис, ...
   Если бы наступил кризис, ...

2) Если две стороны договорятся о прекращении огня, ...
   Если бы две стороны договорились о прекращении огня, ...

3) Если не будут приняты меры по повышению безопасности, ...
   Если бы не были приняты меры по повышению безопасности, ...

4) Если вооружённые формирования захватят центр города, ...
   Если бы вооружённые формирования захватили центр города, ...

5) Если президент введёт чрезвычайное положение, ...
   Если бы президент ввёл чрезвычайное положение, ...

6) Если враждующие группировки договорятся между собой, ...

Если бы враждующие группировки договорились между собой, ...

7) Если правительственная армия применит оружие, ...

Если бы правительственная армия применила оружие, ...

14. *Составьте простые и сложные предложения с данными словосочетаниями:*

в случае начала *чего* — если начнётся *что*

в случае кризиса — если будет кризис

в случае неудачи *чего* — если *что* окончится неудачей

в случае необходимости — если будет необходимо

в случае агрессии — если будет совершена агрессия

15. *Прочитайте информационные сообщения. Произведите синонимичную замену простых предложений со значением условия на сложные. Передайте основную информацию сообщений.*

А. Министр обороны страны заявил во вторник в ходе краткой встречи с журналистами, что его правительство не исключает возможности разрешения кризиса в регионе военными средствами. Глава министерства отметил также, что не существует установленного лимита численности дислоцированных войск на территории страны, обратившейся за помощью. В случае необходимости, добавил министр, военный персонал и боевая техника в регионе могут быть увеличены.

Б. Опасаясь за свою жизнь, президент постоянно держит наготове два самолёта с экипажами, которые в случае опасности должны, по данным оппозиции, доставить его в дружественную страну. У президента имеется также тайное подземное убежище, где сто человек смогут жить в течение восьми месяцев. Это убежище оснащено средствами радио-, телевизионной и телефонной связи.

16. *Прочитайте корреспонденцию. Выполните послетекстовые задания.*

В интересах общества

27 октября состоялась межпартийная консультативная встреча, в которой участвовали представители партий, общественных союзов и движений.

Они заключили межпартийное политическое соглашение, цель которого — содействовать мирному разрешению актуальных экономических, социальных, политических и правовых проблем.

Участники данного соглашения обязуются, в частности, сделать всё необходимое для достижения национального и гражданского согласия в стране, не допускать в обществе террора, геноцида, репрессий, решать все национальные, межнациональные и этнические проблемы без применения силы, без дискриминации, на справедливой и равноправной основе. Приложить усилия к совместной разработке мер по прекращению межнациональных распрей и раздоров.

В числе намеченных совместных шагов — содействие экономическому, культурному, социальному и нравственному возрождению страны, развитию национального, межнационального и межреспубликанского сотрудничества, всестороннему прогрессу народов, предотвращению экологической катастрофы. Решено образовать межпартийный консультативный совет и рабочие группы и комиссии для выработки путём переговоров общих позиций по выходу страны из кризиса. Просить парламент сформировать в его составе структуры (комиссии) для постоянной связи с представителями всех партий и движений с целью изучения и использования их предложений по стабилизации обстановки в стране.

а) Составьте простые и сложные предложения со значением цели, используя материал из корреспонденции.

для мирного разрешения *чего*	— чтобы мирно решить *что*
для достижения *чего*	— чтобы достигнуть *чего*
для решения *чего*	— чтобы решить *что*
для прекращения *чего*	— чтобы прекратить *что*
для содействия *чему*	— чтобы содействовать *чему*
для развития *чего*	— чтобы развивать *что*
для предотвращения *чего*	— чтобы предотвратить *что*
для выработки *чего*	— чтобы выработать *что*
для изучения *чего*	— чтобы изучать *что*
для использования *чего*	— чтобы использовать *что*

б) Ответьте на вопросы, используя материал корреспонденции.

1) С какой целью собрались на встречу представители политических партий, общественных движений и союзов?

2) С какой целью участники встречи заключили межпартийное политическое соглашение?

3) С какой целью были созданы межпартийный консультативный совет и рабочие группы и комиссии?

4) С какой целью следует, по мнению участников встречи, создать в парламенте специальные комиссии?

в) Закончите предложения, используя материал корреспонденции.

1) Если участники встречи выполнят соглашение, ...

2) Если будут созданы межпартийный консультативный совет и рабочие группы и комиссии, ...

3) Если будет достигнуто национальное и гражданское согласие в стране, ...

4) Если парламент сформирует комиссии для постоянной связи с представителями всех партий и движений, ...

5) Несмотря на большое количество политических партий, общественных союзов и движений, ...

г) Как вы поняли, какая обстановка сложилась в этой стране? Почему собрались представители различных политических партий, общественных союзов и движений? Укажите, что мешает и что может помочь мирному разрешению проблем? При ответе используйте следующие словосочетания:

достигнуть национального и гражданского согласия; содействовать экономическому, культурному, социальному и нравственному возрождению; развивать национальное, межнациональное и межреспубликанское сотрудничество; содействовать всестороннему прогрессу народов; выработать общие позиции по выходу страны из кризиса; изучать и использовать все предложения по стабилизации обстановки в стране; не допускать террора, геноцида, репрессий, дискриминации; не применять силу; прекратить межнациональные распри и раздоры; предотвратить экологическую катастрофу.

17. *Составьте сообщение о положении в вашей стране. Как там складываются отношения между властями и оппозицией?*

18. *По свежим газетным материалам подготовьте сообщение о стране, где происходят столкновения между правительственными войсками и оппозиционными силами.*

преступник	преступность	преступные действия
террорист боевик	терроризм террор	террористический акт террористическая акция

экстремистская группировка

совершать/совершить предотвратить	террористический акт; акт террора, насилия...

взрыв	взрывчатка	взрывное устройство

жертва *чего*

получать/получить	серьёзное лёгкое	ранение

Примеры: За последние три дня в различных районах страны в результате **террористических акций** погибло около 20 человек. За месяц силами правопорядка было арестовано 75 **боевиков** — членов **экстремистских группировок**, действующих в стране. Около 30 человек стали **жертвами террора** за минувшие сутки. За последние 8 месяцев партизаны организовали 979 **взрывов** объектов системы энергоснабжения страны.

19. *Прочитайте информационные сообщения. Скажите, почему у Интерпола появилась необходимость обратиться за помощью в ООН?*

А. Сильный взрыв произошёл в понедельник вечером в клубе, расположенном в самом центре столицы. Как сообщил представитель полиции, он был вызван подложенной в здание взрывчаткой. Не исключена возможность того, что в здании имеются другие взрывные устройства. В этой связи полиция блокировала все подступы к месту происшествия. По предварительным данным, в результате террористической акции 5 человек получили серьёзные ранения.

Б. Усилить меры безопасности в аэропортах, на внутренних и международных авиалиниях решило правительство Таиланда после угона студентами два дня назад самолёта государственной компании в Индию. Министр внутренних дел Таиланда сообщил в понедельник, что отдал указание иммиграционным и другим службам более тщательно проверять перед посадкой студентов, а также не вызывающих доверия пассажиров.

В. Интерпол обратился к странам — членам ООН с призывом выделить дополнительные средства на борьбу против нарастающей в мире волны преступности и терроризма. Представители этой международной организации уголовной полиции выступили на очередном конгрессе ООН по предупреждению преступности с проектом резолюции, в которой указывается на необходимость принять все необходимые меры для создания эффективной системы борьбы с наиболее тяжкими нарушениями закона.

20. *По свежим газетным материалам подготовьте сообщение о террористическом акте. Чем вызвана эта акция?*

21. *Как, по вашему мнению, можно бороться с терроризмом?*

наркотик   наркотическое средство (кокаин, опиум, маковая соломка…
наркоман   **наркомания**
наркобизнес: наркомафия, наркосиндикат, наркокартель…
заправилы *какой* **мафии**
контрабанда *чего*   пресекать/пресечь контрабанду *чего*

распространять, сбывать/сбыть	наркотики
	кокаин
конфисковывать/конфисковать, изымать/изъять	*какой* товар

Примеры: Контрольная региональная служба была создана три года назад в целях пресечения **контрабанды наркотиков**. За год борьбы с **наркобизнесом** колумбийской полицией было конфисковано столько имущества, что возникла проблема организации его учёта.

22. *Прочитайте информационное сообщение. Скажите, какая опасность грозит стране? Как вы считаете, должны ли другие государства поддержать предложение 13 государств? Аргументируйте своё мнение.*

Стране угрожает серьёзная опасность превратиться в новое пристанище заправил кокаиновой мафии, которые объявили открытую войну властям своей страны, но вынуждены скрываться от ареста на территории соседних стран. Такое мнение высказал президент. Он считает также, что ООН могла бы более активно координировать международные усилия по искоренению контрабанды «белой смерти». Опасения президента разделяет и печать. Она с тревогой пишет об активизации связанного с наркотиками преступного мира.

Официальные представители 13 государств — ведущих в мире производителей кокаина — обратились к Генеральному секретарю ООН с просьбой созвать специальную сессию Генеральной Ассамблеи ООН по расширению международного сотрудничества в борьбе с наркотиками.

23. *Прочитайте информационное сообщение и корреспонденцию. Выполните послетекстовые задания.*

А. Президент издал законодательный декрет, в соответствии с которым вводится ряд дополнительных мер по борьбе с действующими в стране подпольными наркосиндикатами. Документ, в частности, предусматривает предоставление необходимых гарантий, вплоть до частичного снятия обвинений с тех членов мафии, которые добровольно сдадут оружие, предстанут перед судом и чистосердечно раскаются в совершённых преступлениях.

Б. Казнь торговцев наркотиками

Египетские законы сурово карают распространителей наркотиков — вплоть до смертной казни. Поэтому высшая мера наказания, к которой был приговорён пойманный с поличным крупный торговец героином, египтян удивить не могла. И настоящей сенсацией стал не приговор суда, а требование совершенно новой формы приведения этого приговора в исполнение. Согласно постановлению суда преступника должны повесить перед воротами фешенебельного клуба, где он сбывал свой товар.

Требование судом публичной казни — явление для АРЕ новое. Современный Египет такого рода экзекуций не знает. Однако идея публичных наказаний получила сильную поддержку не только со стороны суда, но и министра внутренних дел АРЕ, который недвусмысленно высказался в пользу назидательности публичной казни тех лиц, которые связаны с наркобизнесом. Полезно было бы, считает министр, транслировать по телевидению и судебные процессы, связанные с этим видом преступлений.

Министр привёл в обоснование своей позиции печальную статистику, впервые за много лет обнародовав её в Египте. Так, например, уровень наркомании среди египетских детей возрос в три раза. Среди взрослого населения страны эта динамика ещё тревожней. Количество ядовитого зелья, попадающего в АРЕ, увеличивается с катастрофической последовательностью. Изъято больше наркотиков, чем за все предыдущие десятилетия.

— *Сравните основную информацию двух сообщений. Что их объединяет? Какой способ борьбы с наркомафией вам кажется более результативным? Аргументируйте своё мнение.*

— *Как борются с наркомафией в вашей стране?*

24. *Считаете ли вы наркоманию самым большим злом начала XXI века? Напишите сочинение. Выскажите своё мнение, ответив на следующие вопросы:*

1) Почему наркомания распространяется? 2) Как с ней нужно бороться? 3) Сумеет ли человечество победить это зло?

современная мировая холодная тайная	война	начать развязать	войну	грозить угрожать угроза войны	*кому* войной

вести	войну бои боевые действия воздушную разведку	находиться в состоянии войны предотвратить войну военщина (*неодобр.*)

военный	блок, переворот, режим…
военная	база, диктатура, промышленность…
военные	расходы, действия, приготовления…

боевой	командир	вооружённый	конфликт
боевая	задача, готовность…	вооружённая	провокация
боевые	действия…	вооружённое	столкновение, нападение.

Примеры: Корабли были приведены в состояние повышенной **боевой готовности** в связи с инцидентом в Персидском заливе. По мнению газеты, ситуация вокруг этого региона может привести к прямому **вооружённому** столкновению. Такой конфликт неминуемо привёл бы к возвращению Европы к ситуации «**холодной войны**».

нарушать/нарушить перейти	границу
нападать/напасть нападение	*на кого-что* *на кого-что*
вторгаться/вторгнуться	*на чью* территорию *в чьи* территориальные воды *в чьё* воздушное пространство

Примеры: Вчера ещё один самолёт **вторгся в воздушное пространство** молодой республики. Вчера ещё один самолёт **нарушил воздушное пространство** молодой республики. Вчера ещё один самолёт **нарушил границу** молодой республики.

совершать/совершить	вооружённое нападение *на что*
	вооружённую провокацию
	провокационные действия
	интервенцию
	налёт *на что*

выполнять боевые задачи

обстрелять *кого-что*   обстрел *кого-чего*   открыть стрельбу *где*

вести	обстрел *кого-чего*
произвести	

подвергать/подвергнуть	обстрелу *что*
	бомбардировке *что*

бомбить *что*	бомбардировка	бомбовые воздушные	удары
		удары с воздуха	

атаковать *кого-что*   атака
занимать/занять *что* (*какие* позиции, город…)

наносить/нанести	удар(ы) *по кому-чему*
	урон *кому-чему* в живой силе, в технике
	ущерб *чему*

нести/понести   потери в результате военных действий
уничтожить *что* (технику, живую силу…)
вывести из строя *что*
жертвы среди мирного населения

Примеры: Вражеская артиллерия **подвергла обстрелу** мирную деревню. Вражеская артиллерия **обстреляла** мирную деревню. Сегодня самолёты **нанесли бомбовые удары** по скоплениям противника. Сегодня самолёты **бомбили** скопления противника. Авиация противника **совершила налёт на** город. Авиация **наносила удары по** скоплениям противника и техники, складам и убежищам. В результате бомбово-штурмовых ударов уничтожено два опорных пункта, **выведен из строя** запасной командный пункт. В воскресенье прозвучала угроза **уничтожить ударами с воздуха** селение в случае, если местные жители до 12 часов не возвратят пленных солдат и офицеров.

поставлять	оружие вооружение военную технику (самолёты, танки…) боеприпасы
наёмники	вербовать наёмников *где* вербовка наёмников

сломить сопротивление *кого*

занять ключевые позиции

установить контроль *над чем*; овладеть *чем*

прекращать/прекратить *что*(огонь, обстрел, уличные бои…)

прекращение огня, обстрела *чего*…

объявить перемирие

отбить атаку *кого*

дать отпор *кому*

получить отпор

удерживать/удержать *что* (позиции, город…)

отходить/отойти *куда*   отход *куда*

вывести войска *откуда*

решить конфликт *каким* путём (мирным путём, путём переговоров)

Примеры: В официальном сообщении говорится, что в ходе переговоров, которые продолжались пять часов, «достигнута договорённость **о прекращении огня** из тяжёлых видов оружия». Несмотря на **объявление** восьмичасового **перемирия**, в различных частях города вчера продолжались **уличные бои**. Подразделения **заняли ряд ключевых позиций**, однако пока рано говорить о том, что они **установили контроль над** городом.

25. *Сравните два варианта одного сообщения. Какой из них легче для пересказа: тот, в котором используются отглагольные существительные, или тот, в котором используются глаголы?*

А. В течение истекших суток федеральные войска продолжили ведение боевых действий по овладению центром города, разъединению и расчленению групп противника, их блокированию и уничтожению. При активном воздействии войск идёт отток противника из города. В их рядах отмечены панические настроения.

Авиация в течение суток уничтожала скопления живой силы и техники, склады вооружения, наносила бомбовые удары по опорным пунктам, вела воздушную разведку.

Интенсивность уличных боёв в городе постепенно снижается. Боевыми командирами противника предпринимаются отчаянные попытки ценой больших потерь удержать центральный район города.

Б. Войска продолжают вести боевые действия с тем, чтобы овладеть центром города, разъединить, расчленить противника на группы, потом блокировать их и уничтожить. Противник покидает город.

Авиация бомбила скопления живой силы и техники, склады вооружения, вела воздушную разведку.

Уличные бои продолжаются. Боевые командиры противника ценой больших потерь удерживают некоторые районы города.

26. *Прочитайте информационные сообщения. Передайте основную информацию сообщений в облегчённом варианте (см. упр. 25).*

А. В течение суток войска продолжали выполнять боевые задачи по очистке города от противника. Отмечается отход из города групп противника на запад и северо-восток. На северо-восточном направлении блокирующие границу воинские части всю ночь вели бои. После применения боевых вертолётов нападавшие отошли в глубь страны.

Контрольно-пропускной пункт на границе подвергся ожесточённой атаке противника. Во взаимодействии с воинскими частями, пограничными войсками и при огневой поддержке с воздуха атака была отбита.

Б. Министр обороны США заявил, что воздушные удары НАТО по намеченным позициям могут иметь обратный эффект и привести к эскалации конфликта в регионе. Он призвал лидеров НАТО к величайшей осторожности, прежде чем принимать решение о бомбардировках. Он сказал, что этот вопрос неоднократно рассматривался главами государств, однако каждый раз решение было отрицательным ввиду перспективы неминуемого расширения военного вмешательства в случае ответных действий со стороны противника.

27. *По материалам свежей прессы подготовьте сообщение о войне (вооружённом конфликте), которая идёт или недавно кончилась в каком-либо регионе. Выскажите своё мнение об этой войне.*

Р а з л и ч а й т е !

| ГРУППА |
| ГРУППИРОВКА |

Комментарий

- **Группа** — 1. определённое (обычно небольшое) количество людей, входящих в более крупное объединение и связанное общей работой, целью, идеей.

○ Маленькая, многочисленная, малочисленная; специальная; вооружённая, террористическая ...**группа**.

△ **Группа** *кого*: боевиков, военных… **Группа** из скольких человек. Состав, численность, часть **группы**.

Вооружение, подготовка, сколачивание (*неодобр.*) **группы** *кого для чего*.

☐ Входить **в группу**.

Примеры: Очередная **группа** военных покинула страну. Представитель комиссии НАТО сообщил, что в район конфликта отправляется **специальная группа,** которая будет изучать ситуацию в регионе.

2. общественная (социальная, профессиональная…) **группа** — совокупность людей, объединённых по какому-либо признаку.

△ Расслоение *кого-чего* **на** *какие* **группы**. Идеология *какой* **группы.**

- **Группировка** — объединение определённых сил общества, связанных общей целью, идеей (обычно *неодобр.*).

○ Антиправительственная, оппозиционная; военная, военно-политическая, контрреволюционная, политическая, ультраправая, фашистская; террористическая; основная ... **группировка**.

Враждующие, враждебные, противоборствующие; различные **группировки**.

△ Образование, поддержка, расширение, сколачивание (*неодобр.*), судьба, сущность **группировки**. Вовлечение *кого* **в группировку**. Роспуск (всех) **группировок**. Противоборство, стычки **между** (двумя) группировками.

Вооружение **группировок**.

Примеры: Общественность страны решительно осуждает попытки **антиправительственных группировок** насильственным путём свергнуть существующую законную власть. Необходимо продолжить переговоры **между враждующими группировками**.

28. *Прочитайте информационные сообщения. Обратите внимание на употребление существительных **группа — группировка**. Передайте кратко основную информацию этих сообщений.*

А. Представитель Генерального секретаря ООН встретился с лидером антиправительственной группировки в одной из африканских стран.

Обсуждался вопрос о том, как положить конец гражданской войне в стране. Лидер группировки заявил, что он готов принять предложение о прекращении огня. По его словам, сейчас существует реальная возможность для заключения такого соглашения. Но продолжающаяся военная и материальная помощь извне этой группировке служит одним из препятствий на пути к миру.

Б. В стране сохраняется напряжённая обстановка. Девять человек погибли в разных провинциях страны в результате столкновений на этнической почве, сообщил в воскресенье представитель полиции. Насилие явилось результатом стычек между боевиками двух враждующих группировок. В одной провинции группа вооружённых боевиков застрелила семерых человек, в другом месте полицейский, дом которого местные жители забросали камнями, открыл огонь по толпе. Один человек убит. Ещё один человек погиб в пригороде столицы.

29. *Вставьте вместо точек существительные **группа — группировка**. Слова, данные в скобках, поставьте в нужной форме.*

1) Начался судебный процесс над … из 160 человек, которых обвиняют в том, что они провоцировали население на беспорядки. 2) В противоречиях (враждующие) … сплелись политические, экономические и не в последнюю очередь этнические интересы. 3) Две (ультраправые) … подписали соглашение о сотрудничестве. 4) На заседании ООН было решено, что первоначальная численность (военно-гражданская) … в районе конфликта не должна превышать 4650 человек. 5) Солдатам сил безопасности удалось арестовать две … боевиков общей численностью 23 человека. 6) Правительство провело переговоры со всеми (враждующие) … с целью выработки предложений по урегулированию кризиса в регионе. 7) Лидер (одна оппозиционная) … объявил о том, что готов разоружить подчиняющиеся ему формирования, если то же самое сделают и (другие) … .

Р а з л и ч а й т е !

ВЛАСТЬ
ВЛАСТИ

Комментарий

● **Власть** (*только ед.*) — **1.** право управления государством, политическое господство.

○ Государственная, (не)законная … **власть**.

Примеры: Военные передадут **власть** избранному правительству в ближайшие сто дней. Эта партия пришла **к власти** в результате победы на выборах.

2. специальные учреждения, органы государственного управления, правительство.

○ Центральная, местная, исполнительная … **власть**.

Примеры: В стране созданы новые структуры **власти**. Закон запрещает **исполнительной власти** прекращать судебный процесс против виновников расовых столкновений в этом районе страны.

● **Власти** (*только мн.*) — должностные лица, администрация (без определения обычно употребляется, когда речь идёт о конкретных действиях).

○ Военные, гражданские, местные, оккупационные, расистские, судебные … **власти**.

Примеры: Фактов, обличающих **оккупационные власти**, приведено в эти дни великое множество. Действия **судебных властей** и предпринимателей вызвали возмущение общественности. Забастовка была объявлена **властями** незаконной.

*30. Прочитайте информационные сообщения. Обратите внимание на употребление существительных **власть**, **власти**. Ответьте на вопросы.*

А. Вооружённые силы и полиция взяли власть в стране в свои руки. Образован национальный совет примирения. В стране приостановлено действие конституции, распущены правительство и единственная правящая партия. Совет призвал жителей страны не допускать грабежей и актов вандализма. Пока нет никаких официальных сообщений о судьбе президента.

1) Кто находится **у власти** в этой стране?
2) Кто потерял **власть** в этой стране?

Б. 50 общественных организаций страны, включая массовые молодёжные, профсоюзные, женские, религиозные, студенческие объединения, выступили в поддержку президента. В распространённом от их имени обращении под названием «Заявление граждан страны» подчёркивается, что общественность страны решительно осуждает попытки антиправительственных группировок насильственным путём свергнуть существующую законную власть.

1) Кто пытается свергнуть существующую **законную власть** в стране?
2) Кто поддерживает **законную власть** в стране?

В. Не утихают студенческие волнения, в которых уже вторую неделю участвуют представители почти всех столичных вузов. Они требуют принятия эффективной программы преодоления социально-экономического кризиса, соблюдения политических свобод и демократических прав. Власти упорно отказываются идти на диалог со студенческой молодёжью и прибегают лишь к карательным мерам.

1) Чего требует **от властей** студенческая молодёжь?
2) Чем отвечают **власти** на студенческие требования?

31. *Вставьте вместо точек существительные* **власть — власти** *в нужной форме.*

1) Передача ... должна состояться в мирных условиях. 2) Уже более двух недель продолжается вооружённое столкновение между повстанцами и ... . 3) Попытка ... взять баррикаду штурмом закончилась кровавым столкновением, в ходе которого был убит один полицейский. 4) В ответ на беспорядки ... объявили чрезвычайное положение и ввели комендантский час. 5) По распоряжению ... на месяц закрыты сотни школ, колледжей. 6) Считают, что подпольные арсеналы принадлежат ультраправым группировкам, которые не смирились с провозглашением независимости и переходом ... в руки чёрного большинства. 7) После военного переворота диктатор разогнал не только национальный конгресс, но и органы местной ... . 8) Кровавая трагедия унесла жизни пяти человек — так утверждают ... .

СОВРЕМЕННЫЕ МЕЖДУНАРОДНЫЕ ОТНОШЕНИЯ

нормализация межгосударственных отношений

договор о ненападении

невмешательство во внутренние дела другого государства

разрядка
ослабление ⎱ (международной) напряжённости

процессы разоружения

ядерное
глобальное ⎱ **разоружение**

ядерное оружие   **испытания** ⎱ ядерного оружия / крылатых ракет

мораторий на ядерные взрывы   безъядерная зона

оборонительная доктрина

оборонительная ⎱ направленность / достаточность ⎱ военных потенциалов *кого-чего*

(поэтапный) вывод (иностранных) войск *откуда*

гонка вооружений

арсеналы оружия

Пример: Разрядка международной напряжённости возможна при невмешательстве государств во внутренние дела друг друга.

1. Прочитайте клишированные сочетания, типичные для газетно-публицистического стиля. Напишите словосочетания с глаголами, образованными от этих существительных.

<u>Образец</u>. Создание безъядерной зоны *где* — создать безъядерную зону *где*

1) Размещение ракет *где* —

2) Сокращение ⎱ военных расходов — / численности вооружённых сил — / ядерного оружия —

3) Запрещение испытаний ядерного оружия —

4) Принятие моратория на ядерные взрывы —

5) Обуздание гонки вооружений —

6) Нормализация межгосударственных отношений —

7) Модернизация вооружённых сил —
Перестройка

8) Стабилизация обстановки —

2. *Поставьте вопросы к выделенным словосочетаниям.*

<u>Образец</u>. В Афинах начала работу конференция **по созданию безъя-**
дерной зоны на Балканах. — Какая конференция начала работу в Афинах? — Конференция **по созданию безъядерной**
зоны на Балканах.

1) Участники встречи рассмотрят проблемы **укрепления безопасно-**
сти и сотрудничества европейских народов. 2) В День ООН (24 октября) делегации всех стран обращаются к миру с призывом **обуздать**
гонку вооружений. 3) Самым главным вопросом современности является вопрос **о мире.** 4) Социал-демократический союз молодёжи Дании
поддерживает предложение **о создании безъядерной зоны на севере**
Европы. 5) Участники съезда обратились к парламентам европейских
стран с призывом **не допустить размещения новых ракет на терри-**
тории Европы. 6) Перед комиссией поставлена цель — **следить за**
выполнением соглашения о поэтапном выводе иностранных войск
с территории государства. 7) В Ванкувере муниципальные власти
приняли решение **провести референдум по вопросу о запрещении**
испытаний крылатых ракет в Канаде.

3. *Образуйте словосочетания с несогласованными определениями и*
составьте с ними предложения.

<u>Образец:</u> обсудить вопросы — международная безопасность
обсудить вопросы международной безопасности
Министры иностранных дел встретились, чтобы обсудить вопросы международной безопасности.

соблюдать принцип	невмешательство во внутренние дела другого государства
наложить запрет	испытания ядерного оружия
заключить соглашение	сокращение ядерного оружия в Европе
обменяться мнениями	актуальные международные проблемы
стать на путь	реализм
наладить сотрудниче-ство	охрана сухопутных, морских и воздушных гра-ниц

4. *Прочитайте информационные сообщения. Обратите внимание на употребление предлогов **по, на основе, в соответствии с.** Произведите их синонимичную замену там, где возможно. (см. с. 230)*

А. Завтра начнётся неделя действий за разоружение. Она проводится **по** решению специальной сессии Генеральной Ассамблеи ООН по разоружению и Всемирного совета мира.

Б. Один из руководителей партии заявил, что процесс мирного урегулирования в стране сталкивается с трудностями **по** вине режима и что его партия не исключает возможности прервать переговоры с правительством.

В. Покинула страну очередная группа военнослужащих. С отбытием 1000 человек завершён вывод из страны половины воинского контингента. Поэтапный полный вывод иностранных войск из страны осуществляется **на основе** соглашения, подписанного в декабре прошлого года в Нью-Йорке в рамках процесса урегулирования отношений на континенте.

В соответствии с этим документом начатое в январе возвращение военнослужащих на родину должно завершиться к концу года.

5. *Прочитайте беседу корреспондента с заместителем главы делегации РФ на Генеральной Ассамблее ООН. Выполните послетекстовые задания.*

— Я убеждён, что международное сообщество вплотную подошло к порогу, переступив который, оно сможет решительно устремиться к качественно новому миропорядку. Процессы разоружения выведены на скоростную магистраль. Но локомотив, каким бы мощным он ни был, не может развить должную скорость, если следующий за ним состав не преодолеет инерцию.

Поэтому сегодня необходимо, чтобы процесс разоружения охватил как все категории вооружений, так и все страны и регионы.

Мы не первый год обсуждаем эту проблему. Нужно привести в соответствие с временем ныне действующий механизм ООН в области разоружения. Если бы ООН окончательно освободилась от декларативности, полемической риторики, она смогла бы сконцентрироваться на главных направлениях, приступить к реальным мерам глобального разоружения, даже если на начальном этапе они могут показаться скромными.

— Если война отвергается как инструмент политики, то логика подсказывает следующий шаг — договориться о разумной оборонительной достаточности военных потенциалов. Каковы возможности достижения такого соглашения?

— Путь к нему лежит через широкий международный диалог с целью придания военным доктринам и, следовательно, военному строительству исключительно оборонительной направленности.

В отношениях между европейскими странами такой диалог уже стал реальностью. С подписанием Декларации о ненападении отношения военного противостояния в Европе окончательно станут фактом истории. Но безопасность можно надёжно обеспечить лишь в том случае, если процесс демилитаризации затронет все страны.

Необходимо максимально использовать все возможности для устранения военной угрозы в странах Азии, Африки и Латинской Америки. Своего рода центром решения проблем оборонительной достаточности, стимулирующим региональные усилия, могла бы стать ООН. На наш взгляд, поиском взаимопонимания в этом направлении могло бы стать специальное исследование ООН об оборонительных доктринах.

а) Составьте предложения со значением условия, используя материал беседы. б) Если бы вы были корреспондентом, какую статью вы написали бы на эту тему.

1) Мировое сообщество сможет установить качественно новый миропорядок.	Мировое сообщество преодолеет инерцию старых отношений.
2) ООН окончательно освободится от декларативности, полемической риторики.	ООН может приступить к реальным мерам глобального разоружения.
3) Война отвергается как инструмент политики.	Следует договориться о разумной оборонительной достаточности военных потенциалов.
4) Процесс демилитаризации распространится за пределы Европы.	Безопасность можно надёжно обеспечить.
5) Центром решения проблем оборонительной достаточности может стать ООН.	ООН может провести специальное исследование об оборонительных доктринах военных потенциалов.

в) Выберите правильное, по вашему мнению, утверждение. Аргументируйте ваше мнение, используя материал корреспонденции.

1) Процесс разоружения охватил все страны и регионы.

Процесс всеобщего разоружения начнётся ещё не скоро.

2) ООН способна решить международные проблемы.

ООН не способна решить международные проблемы.

6. Прочитайте корреспонденцию. Выполните послетекстовые задания.

В ожидании свежих ветров

Очередная встреча в Нью-Йорке специального комитета ООН по Индийскому океану затронула много проблем, стоящих сегодня перед человечеством. Эти проблемы — ядерное разоружение, ослабление международной напряжённости, нормализация межгосударственных отношений. Без их конструктивного разрешения в современном мире нельзя добиться ни стабильности, ни подлинной безопасности.

Ещё в 1971 году Генеральная Ассамблея ООН на своей XXVI сессии приняла Декларацию об объявлении Индийского океана зоной мира. Так что борьба за зону мира в этом огромном водном бассейне идёт не первое десятилетие, её актуальность сохраняется и в наши дни.

Создание такой зоны способствовало бы стабилизации обстановки в регионе, не нагнеталась бы напряжённость в «горячих точках» этого обширного региона.

Борьба за превращение Индийского океана в зону мира является составной частью борьбы за разоружение, за создание всеобъемлющей системы международной безопасности, к чему направлены усилия многих стран. Россия последовательно выступает за укрепление военно-политической стабильности в районе Индийского океана, поддерживает скорейший созыв международной конференции в целях осуществления Декларации ООН об объявлении Индийского океана зоной мира.

а) Закончите предложения, используя материал корреспонденции.

	ослабление *чего*
	создание *чего*
	превращение *чего во что*
	осуществление *чего*
Специальный комитет ООН выступает за	объявление *чего чем*
	нормализация *чего*
	стабилизация *чего*
	демилитаризация *чего*

б) Ответьте на вопросы.

1) Что поможет ослабить напряжённость в зоне Индийского океана?
2) Что приведёт к безопасности и стабильности в этом регионе?
3) Почему идея превращения этого региона в зону мира сохраняет актуальность и в наши дни?
4) О чём свидетельствует эта направленность усилий многих стран?
5) Как вы думаете, осуществятся ли замыслы превратить Индийский океан в зону мира. Аргументируйте своё мнение.

в) Как вы думаете, почему автор так назвал свою корреспонденцию. Предложите своё название.

г) Какие идеи объединяют беседу (задание 5) и корреспонденцию (задание 6). Выделите общую информацию.

7. *Прочитайте отрывок из корреспонденции.*

Океаны разделяют континенты, но они могут и должны объединять людей. В разных концах планеты всех одинаково волнуют проблемы выживания человечества в ядерный век, экологические угрозы, другие универсальные задачи, стоящие перед человечеством.

1) Согласны ли вы, что эти проблемы самые актуальные в наше время?
2) Назовите другие проблемы, которые являются, по вашему мнению, не менее актуальными. Аргументируйте ваше мнение.

8. *Расскажите, какую внешнюю политику проводит правительство вашего государства. Чем вызвана эта политика?*

Р а з л и ч а й т е !

СОГЛАШЕНИЕ
СОГЛАСИЕ

Комментарий

• **Соглашение** — 1. документ, устанавливающий взаимные обязательства договаривающихся сторон.

О двустороннее, международное, сепаратное, совместное…
временное, долгосрочное…
тайное…
торговое, экономическое; культурное; трудовое…

соглашение

91

△	*какое (о чём)*: о восстановлении *чего*, выводе *кого-чего откуда*, запрещении *чего*, испытании *чего*, контроле *над чем*, культурном обмене, ограничении *чего*, отсрочке *чего*, оказании помощи *кому*, перемирии, прекращении *чего*, поставках *чего куда*, проведении *чего*, развитии *чего*, разоружении, сокращении *чего*, сотрудничестве…
соглашение	*между кем-чем*: *между* государствами, странами…
	с кем-чем: с правительством, государством…

выполнение, соблюдение…	
заключение, подписание…	
действие, значение…	
нарушение, пересмотр…	**соглашения**
проект, текст, содержание…	
срок действия…	
условия…	

☐ заключать/заключить, подписывать/подписать…	
выполнять/выполнить…	
нарушать/нарушить…	**соглашение**
аннулировать, расторгать/расторгнуть…	

Пример: Совместное **соглашение** о строительстве тоннеля под Ла-Маншем Франция и Англия было подписано в январе 1986 года.

2. взаимное решение делать что-либо после обсуждения.
○ Тайное **соглашение**.

| △ **соглашение** *какое* | *(по чему) по какому* вопросу, по контролю *над чем* по разоружению… |

поиски, достижение…	
выполнение…	**соглашения**
нарушение…	
путь **к соглашению**	

☐ вступать/вступить, входить/войти **в соглашение** *с кем-чем*
достигать/достигнуть **соглашения**, приходить/прийти **к соглашению**
идти/пойти **на соглашение** *с кем-чем*
действовать/делать *что* **по соглашению** *с кем-чем*

Пример: Во время переговоров было достигнуто **соглашение** по вопросу о выводе войск из страны до конца месяца.

● **Согласие** — **1.** одинаковое, совпадающее отношение к чему-либо; общность точек зрения, мнений.

○ национальное, широкое, общее…
взаимное; абсолютное, полное…   **согласие**
традиционное**…**

△
согласие | *в чём*: в *каком* вопросе, во взглядах, в мнениях…
| *по чему*: по *какому* вопросу…
| *когда*: при принятии, подписании… *чего*

возможность; достижение, установление…
необходимость…
основы; пример…   **согласия**
дух, обстановка…

☐ приходить/прийти **к согласию**, достигать/достигнуть, достичь **согласия**
добиваться/добиться **согласия**
выражать/выразить **согласие**

Пример: Во время визита было достигнуто **согласие** в отношении того, что народ сам решит вопрос о единстве своей нации.

2. положительный ответ на чью-либо просьбу.
○ Официальное **согласие**.
△
согласие какое | (*на что*): на выступление *кого*, запрещение *чего*, приём *кого куда*, продолжение *чего*, размещение *чего где*, создание *чего*…
| (*инф.*): участвовать *в чём*, выступить *где*…

☐ давать/дать, изъявлять/изъявить **согласие**, отвечать/ответить **согласием**
просить *у кого* **согласия,** добиваться/добиться **согласия**, дожидаться/ дождаться **согласия** *кого на что*, требовать **согласия** *на что*
рассчитывать **на согласие**, зависеть **от согласия** *кого*
получать/получить **согласие** *кого на что*

Пример: Президент уверен, что он получит **согласие** парламента на применение в случае необходимости военной силы против агрессора.

9. *Прочитайте информационные сообщения. Определите значение существительных* **соглашение, согласие.**

А. Новый «Договор о сотрудничестве в области обороны» подписан между двумя странами в Афинах. Соглашение предусматривает сохранение американских военных баз на территории Греции ещё на 8 лет с возможным продлением этого срока по взаимному согласию. Договор будет представлен греческому парламенту для ратификации. Согласие правительства Греции подписать этот договор с США вызвало критику со стороны ведущих оппозиционных партий и общественных организаций страны.

Б. Согласие и сотрудничество

Министры собрались на совещание, обсудили многие вопросы для того, чтобы до конца довести предусмотренные соглашения. Ими был подписан целый ряд различных соглашений.

Ответьте на вопросы

1) Какое **соглашение** подписано между двумя странами?
2) Почему **согласие** правительства подписать соглашение вызвало критику?
3) Для чего нужно взаимное **согласие** между двумя государствами?
4) Почему министры сумели подписать различные **соглашения**?

10. *Подберите синонимы или антонимы к существительным* **соглашение, согласие.**

	синонимы	антонимы
соглашение согласие	общность разрешение договор договорённость	разногласия отказ

11. *Определите значение существительных* **соглашение, согласие.** *Произведите, где возможно, синонимичную замену на существительные, указанные в задании 10.*

1) Между правительствами двух стран достигнуто первое важное соглашение о прекращении огня. 2) Этого президента ценят как государственного деятеля, способного с высокой политической ответственностью

искать пути к согласию. 3) Перед комиссией поставлена цель — следить за выполнением соглашения о поэтапном выводе иностранных войск с территории государства. 4) Члены реакционной националистической организации совершили террористический акт по собственной инициативе, без согласия руководства. 5) Единственным разумным путём к национальному согласию является диалог между всеми враждующими группировками. 6) Повстанцы не сложили оружия вопреки достигнутому соглашению о прекращении огня. 7) Президент предпринял определённые шаги в интересах мира и национального согласия.

12. *Закончите предложения, используя материал для справок.*

1) Владельцы газеты отказали бастующим служащим в продлении ... .
2) Цель переговоров — выработать ... .
3) Власти выразили ... .
4) Стороны предприняли ещё один шаг в интересах ... .

М а т е р и а л   д л я   с п р а в о к : национальное согласие; трудовое соглашение; соглашение об ограничении производства и распространения обычных наступательных вооружений; согласие на возобновление диалога с повстанцами.

13. *Подготовьте сообщение об участии вашей страны в международной жизни.*

14. *Как вы считаете, удастся ли человечеству предотвратить ядерную войну, достижимо ли полное ядерное разоружение, может ли человечество покончить с войнами? Аргументируйте своё мнение.*

ЭКОЛОГИЯ

экология	**эколог**
экологический	кризис...
экологическая	организация
экологическая	конференция, обстановка, проблема...
экологическое	законодательство...
экологические	проблемы...
	партия зелёных Гринпис

окружающая среда

охрана
улучшение | окружающей среды
загрязнение

сохранение | чистоты Земли
| биологического разнообразия флоры и фауны

чистота атмосферы ≠ загрязнение атмосферы

очистка загрязнённых *чем* участков

очистное сооружение

размещение *где* | промышленных отходов
переработка |

промышленный выброс *чего*

природный баланс; нарушать/нарушить природный баланс

парниковый эффект

Примеры: Острота проблем **окружающей среды** ныне очевидна всем. Некоторые считают, что мир движется **к экологическому кризису**. **Загрязнение атмосферы**, превышающее допустимые нормы ВОЗ, наблюдается ныне в регионах, где проживает больше миллиарда человек.

1. Прочитайте информационные сообщения. Скажите, с какими экологическими проблемами сталкивается сегодня человечество? С какой целью учёные организуют конференции?

А. РИО-ДЕ-ЖАНЕЙРО (ИТАР-ТАСС). Гигантский воздушный шар с изображением голубой капли, символизирующей надежды всего человечества на сохранение чистоты природы Земли, взмыл в небо над Рио-де-Жанейро, возвестив тем самым об открытии всемирного форума. В течение двух недель более 12 тысяч представителей неправительственных, общественных и экологических организаций 164 государств будут обсуждать такие вопросы, как изменение климата Земли, загрязнение окружающей среды, проблемы урбанизации и сохранения биологического разнообразия флоры и фауны.

Б. Конференция представителей стран Северной и Восточной Европы по вопросам окружающей среды продолжает работу в Хельсинки. Её участники совместно ищут пути и средства противодействия процессам, которые заметно нарушили природный баланс в странах этих регионов, например в Балтийском море. С этой целью северными государствами создаётся «Нефко» — специальная компания или организация для формирования мер по улучшению окружающей среды. В работе конференции принимают участие представители России.

В. На Земле станет теплее?

Эксперты из 75 стран, собравшиеся на экологическую конференцию в Стокгольме, пришли к единому мнению в вопросе о последствиях так называемого «парникового эффекта», то есть глобального повышения температуры атмосферы. По мнению экспертов, «парниковый эффект» станет одной из самых больших угроз для человечества уже в ближайшем будущем. «Если не будут приняты предупредительные меры, уровень Мирового океана повысится на шесть сантиметров за 10 лет», — говорится в докладе. Целью нынешней конференции была выработка совместной позиции ведущих учёных. Она послужит основой для соглашения о «парниковом эффекте», которое будет рассматриваться Конференцией ООН по окружающей среде и развитию.

— *Закончите предложения, используя материал сообщений.*

1) Если не будут приняты предупредительные меры, ...
2) Если будут приняты предупредительные меры, ...
3) Если ведущие учёные выработают совместные позиции, ...
4) Если ведущие учёные не выработают совместные позиции, ...

2. *Прочитайте информационные сообщения. Скажите, каким образом в мире решают экологические проблемы?*

А. Неожиданная картина предстала взору грузчиков Монреальского порта, когда ранним мартовским утром они пришли на работу. Со стрелы огромного, 40-метрового портового крана, перехваченные в поясе верёвочными страховками, свисали две человеческие фигуры. Как выяснилось, этими «циркачами» оказались представители «Гринпис» — влиятельной организации защитников **окружающей среды**. Такой необычный способ протеста члены «Гринпис» избрали для того, чтобы привлечь внимание канадской общественности к опасным последствиям развития урановой промышленности в стране.

Б. Тысячи жителей города приняли участие в демонстрации в знак солидарности с требованием **партии зелёных** закрыть вредное производство.

В. Законом предусматривается создание специального фонда в миллиард долларов. Цель этого фонда — финансирование операций **по очистке загрязнённых нефтью участков Мирового океана.**

Г. Вчера правительство Москвы совместно с администрацией Московской области рассматривало региональную программу развития централизованной **переработки и размещения промышленных отходов** города. Городская программа уже принята московским правительством, однако без её согласования с программами областной администрации проблему **промышленного мусора** не решить.

Новая совместная программа предусматривает создание на территории Московской области свыше десятка **отходоперерабатывающих предприятий** разных профилей. Причём, начиная с проектирования, обязательно будут учитываться требования **к охране окружающей среды**, работа будет вестись под контролем **экологов.**

3. Прочитайте корреспонденцию. Скажите, какое решение властей Торонто вам кажется наиболее рациональным. Аргументируйте своё мнение.

Крупнейший канадский город Торонто принял решение о сокращении в своих границах промышленных выбросов углекислого газа на 20 процентов. По его стопам вскоре может пойти и другой канадский город — Ванкувер.

Как же предлагают уже в этом году бороться за чистоту атмосферы? Часть рекомендаций рабочей группы носит традиционный характер: это предложения об усилении контроля за очистными сооружениями на промышленных предприятиях или повышение в два раза цены на бензин за счёт введения так называемого налога на углекислый газ. Среди неординарных подходов — поиск таких архитектурных решений развития города, которые позволяли бы сосредоточивать в одном месте конторы, фирмы, жилой массив, магазины, что резко снизило бы потребность жителей в пользовании личным транспортом.

Сейчас в Ванкувере все эти предложения и идеи обсуждаются. Одни утверждают, что такая программа негативно скажется на предпринимательской деятельности, на занятости в ряде отраслей. Сторонники реформ не отрицают, что где-то занятость пострадает, но в других сферах, скажем, на общественном транспорте, она возрастёт.

— Закончите предложения, используя материал корреспонденции.

1) Если сократят промышленные выбросы углекислого газа на 20 процентов, ...

Если не сократят промышленные выбросы углекислого газа на 20 процентов, ...

Если бы сократили промышленные выбросы углекислого газа на 20 процентов, ...

2) Если усилят контроль за очистными сооружениями на промышленных предприятиях, ...

Если не усилят контроль за очистными сооружениями на промышленных предприятиях, ...

Если бы усилили контроль за очистными сооружениями на промышленных предприятиях. ... .

3) Если повысят цены на бензин в два раза, ...

Если не повысят цены на бензин в два раза, ...

Если бы повысили цены на бензин в два раза, ...

4) Если сосредоточат в одном месте конторы, фирмы, жилой массив, ...

Если не сосредоточат в одном месте конторы, фирмы, жилой массив, ...

Если бы сосредоточили в одном месте конторы, фирмы, жилой массив, ...

4. а) Как вы считаете, каким образом нужно решать экологические проблемы:

организовывать действия протеста (митинги, демонстрации...);

организовывать конференции;

принимать новые законы;

выделять средства на охрану окружающей среды.

б) Каким образом экологические проблемы решаются в вашей стране?

5. Прочитайте три информационных сообщения. Что их объединяет? Согласны ли вы с решениями властей? Аргументируйте своё мнение.

А. Непримиримая борьба **с браконьерами** ведётся в Зимбабве. **Ради сохранения животного мира от истребления** правительство страны пошло на крутые меры, разрешив специально созданным отрядам егерей открывать огонь по нарушителям.

Б. Жертвами королевского бенгальского тигра только за пять месяцев этого года стали 22 жителя страны. Ещё двадцать человек получили серьёзные ранения в результате нападений полосатого хищника. По данным статистики, за последние 15 лет тигры стали причиной гибели 353 человек. Самим тиграм нанесён значительно бо́льший ущерб. За это же время популяция полосатых хищников сократилась с нескольких тысяч до нескольких сотен особей. Правительство Бангладеш принимает меры **по охране редкого зверя,** обитающего в Сундарбанском заповеднике. Запрещён **отстрел** всех тигров, в том числе тигров-людоедов.

В. Совместный проект осуществляется на Балтике правительствами северных стран — Финляндии, Швеции, Норвегии и Дании. Речь идёт о «помощи природе» — **разведении** мальков трески, которые затем выпускаются в море. В последние годы количество этой рыбы в Балтийском море заметно сократилось. Совет министров северных стран выделил необходимые средства, и в прошлом году у берегов шведского острова Готланд были созданы «рыбные плантации», где **выращиваются мальки**. Уже в будущем году планируется **выпустить в море** несколько миллионов особей трески.

6. Прочитайте информационное сообщение. Скажите, почему ЕЭС беспокоит опустошение лесов в бассейне реки Амазонки. Какой путь спасения лесов предлагает ЕЭС?

Спасти леса

Деревообрабатывающая промышленность Бразилии рискует потерять своих торговых партнёров за рубежом. Не из-за цен или качества, а по причине **экологического характера**.

ЕС, например, оказывает мощное давление на традиционных импортеров древесины, мебели и т.д. с тем, чтобы при закупках этого товара они требовали от поставщиков должным образом оформленных юридических обязательств произвести молодые лесопосадки в районах вырубки.

Попытки некоторых фирм этой индустрии — вполне логично, что в их числе оказались наиболее **злостные нарушители** бразильского **экологического законодательства**, — апеллировать к националистическим лозунгам, чтобы противостоять этому международному давлению, на сей раз плодов не принесли. «Итамарати» — бразильский МИД, а также Институт окружающей среды и возобновляемых природных ресурсов решительно поддержали инициативу ЕС.

Бразильское правительство весьма обеспокоено **опустошением лесов**, особенно в бассейне реки Амазонки, на который сейчас приходится до трёх процентов общего объёма мировой торговли древесиной.

энергоресурсы		требования безопасности
атомная	**энергия** **энергетика** **электростанция** (АЭС)	
атомный **ядерный**	реактор	безопасность ядерного реактора
ядерная энергетика		
ядерные **радиоактивные**	отходы	захоронение ядерных отходов
термоядерный	синтез реактор	энергия термоядерного синтеза

Международное агентство по атомной энергетике (МАГАТЭ)

Примеры: **Атомная энергетика** помогает сохранять **энергоресурсы**, но при этом необходимо соблюдать **требования безопасности**, особенно безопасности **ядерного реактора**. Проблема **захоронения ядерных отходов** стала особенно актуальной после подписания серии соглашений о сокращении стратегических **ядерных вооружений**.

7. *Прочитайте информационные сообщения. В чём вы видите основную проблему? Как, по вашему мнению, её можно разрешить? Аргументируйте своё мнение.*

А. Оружейного плутония в России слишком много.

В Москве вчера подписано соглашение между правительствами России, ФРГ и Франции о сотрудничестве в использовании в мирных целях плутония, высвобождающегося в результате демонтажа российского ядерного оружия. В соответствии с соглашением оружейный плутоний будет использоваться в качестве топлива для атомных электростанций. Как сообщил министр по атомной энергетике РФ, в настоящее время в России избыточные запасы оружейного плутония составляют 50 тонн. Министр также заявил, что Россия и Франция начинают переговоры о поставках из РФ топлива для французских исследовательских реакторов.

«Интерфакс»

Б. Считая **атомную энергетику** главным направлением развития **энергоресурсов** на ближайшее время, правительство намерено содействовать строительству в стране новых АЭС.

В. Многие поддерживают использование **атомных электростанций**, потому что «пока они экономически оправданы и соответствуют всем требованиям безопасности».

Г. Правительство информировало официальных лиц о том, что закроет к середине декабря пять **атомных реакторов**, поскольку они не соответствуют требованиям безопасности и стоимость их реконструкции слишком высока. По мнению официальных представителей **Международного агентства по атомной энергетике** (МАГАТЭ), это решение приведёт к росту требований закрыть ещё по меньшей мере 26 подобных **реакторов**, разбросанных по территории страны. Новое понимание опасностей, связанных с ядерными реакторами, вызывает глубокую обеспокоенность специалистов, по мнению которых любой инцидент не только нанесёт ущерб населению, но и осложнит условия развития всей **атомной энергетики**.

Д. Бурные протесты со стороны общественности вызвало прохождение через канал судна с 90 тоннами **ядерных отходов**. Несмотря на попытки руководства канала скрыть точное время прибытия корабля, тысячи людей в течение нескольких часов ожидали его у шлюзов, а затем сопровождали по всему маршруту следования от Тихоокеанского к Атлантическому побережью.

8. Прочитайте информационные сообщения. Выполните послетекстовые задания.

А. Объединить научно-технический потенциал России и Японии в интересах защиты среды обитания человека — такова главная идея меморандума о сотрудничестве в области обеспечения безопасности атомной энергетики, подписанного руководителями Академии наук РФ и Японского атомного промышленного форума. Этот документ стал итогом визита представительной делегации российских учёных, которые по приглашению японской стороны посетили крупнейшие научно-исследовательские центры и атомные энергетические станции Японии.

Б. В штаб-квартире Международного агентства по атомной энергии состоялась встреча министра иностранных дел РФ с генеральным директором агентства.

Министр иностранных дел РФ дал высокую оценку деятельности МАГАТЭ по укреплению режима нераспространения ядерного оружия, развитию международного сотрудничества в мирном использовании атомной энергии, укреплению безопасного развития ядерной энергетики.

Накопленный агентством опыт контроля может быть использован и при разработке системы проверок и инспекций будущих мер разоружения — как ядерного, так и химического.

Министр информировал генерального директора о принятых в РФ мерах по обеспечению безопасного развития ядерной энергетики. Была подчёркнута важность проводимых МАГАТЭ работ по проблеме радиоактивных отходов и обеспечения безопасности при снятии с эксплуатации атомных электростанций.

Положительно были оценены работы по созданию международного экспериментального термоядерного реактора, осуществляемые учёными РФ, США, Японии и Европейского сообщества под эгидой МАГАТЭ. Завершение этих работ может открыть перед человечеством реальную перспективу создания на основе энергии термоядерного синтеза экологически чистого, безопасного, поистине неисчерпаемого источника энергии.

а) Выделите информацию, которая объединяет эти сообщения.

б) Перечислите меры, которые, по мнению специалистов, помогут обезопасить ядерную энергетику.

в) Может ли современное человечество обойтись без атомной энергетики? Аргументируйте своё мнение.

г) Как решается энергетическая проблема в вашей стране?

КУЛЬТУРА

| духовная материальная | культура | памятник деятель | культуры |

культурная миссия

| культурные духовные | традиции | охрана спасение | памятников культуры |

| сохранение возрождение | культурных традиций |

| уничтожение разрушение | памятников культуры |

| фольклор | фольклорный праздник |

1. Прочитайте информационные сообщения. (Обратите внимание на употребление выделенных слов.) Скажите, о чём в них говорится. Передайте их содержание близко к тексту.

А. Фольклорным праздником «Ярославская ярмарка» на набережной Волги приветствовали ярославцы гостей — участников международной **культурной миссии** «Истоки», прибывших в город на теплоходе... .

Среди них — известные российские и зарубежные учёные, деятели культуры, представители деловых кругов, общественных и политических организаций. Цель акции — **возрождение духовных** и **культурных традиций**, поддержка **экологических движений**. Гости приняли участие в дискуссиях по вопросам **охраны памятников культуры**, состояния рек и водоёмов. Из Ярославля **культурная миссия** «Истоки» отправится вниз по Волге.

Б. Идолы острова Пасхи под угрозой

Население тихоокеанского острова Пасхи выступило инициатором всемирной **кампании по спасению гигантских статуй** весом 20 тонн и высотой 9 метров. Идолам, по поводу способа установки которых учёные до сих пор не пришли к единому мнению, всё в большей степени угрожает **разрушение от эрозии, плесени** и **охотников за сувенирами**, откалывающих целые куски от статуй. Целью кампании является сбор 6–7 миллионов долларов, необходимых для спасения 400 из 980 гигантов острова Пасхи. После того как статуи были «обнаружены» в 1722 году, остров, удалённый от побережья Чили на 2400 миль, стал излюбленным местом для исследователей и разного рода авантюристов.

В. Член Комиссии европейского союза, ведающий **вопросами охраны окружающей среды**, публично предостерёг правительство Италии от проведения всемирной выставки в Венеции. Это мероприятие «может стать роковым для города», заявил он, выступив тем самым в поддержку тех жителей Венеции, которые протестуют против проведения здесь выставки. Наплыв туристов будет так велик, что городу не удастся с ним справиться, а подготовительные работы перед проведением выставки могут серьёзно ухудшить **экологическую обстановку** в городе каналов, который медленно погружается в Адриатическое море. Представитель Комиссии ЕС сообщил, что в Венецию отправляется специальная группа, которая будет изучать возможные последствия проведения выставки.

а) Можете ли вы предложить свой способ спасения памятников культуры? Как эту проблему решают в вашей стране?

б) Согласны ли вы с тем, что в спасении и сохранении лучших памятников культуры все страны должны действовать сообща, или нет. Аргументируйте своё мнение.

праздник   праздничный концерт

всенародный
местный   праздник
интернациональный

отмечать/отметить
устраивать/устроить   праздник
встречать/встретить

празднество   празднество
торжество   в честь *кого/чего*   устроить   *какой* **конкурс**

победить в конкурсе

юбилей   юбилейное торжество
юбилейная сессия

народные **гуляния**

2. *Прочитайте информационные сообщения. Обратите внимание на употребление выделенных слов. Скажите, что вам известно об этих людях, о их вкладе в мировую культуру?*

А. Белоруссия широко **отметила** большой **праздник** — 500-летие со дня рождения первопечатника Франциска Скорины. **Торжества** открылись 1 сентября «Уроком Скорины» во всех белорусских школах, студенческими собраниями, юбилейной сессией Академии наук республики. Праздничную эстафету подхватил древний Полоцк — родина белорусского просветителя. Сюда приехали гости из многих стран. Отыскался потомок рода Скорины — доктор медицинских наук, профессор Стэнли Скорина из Канады.

Б. А.С. Пушкину — 200 лет

Десятки тысяч людей принимают участие **в празднествах**, устраиваемых **в честь** Александра Сергеевича Пушкина. Повод для **торжества** — день рождения великого национального поэта. Люди собираются как в центре Москвы у памятника, сооружённого на народные деньги, так и на многочисленных площадках, где они становятся зрителями театральных постановок по его произведениям. В этот день проводятся различные конференции и встречи.

Во Франции осуществляется издательская программа «Пушкин». Десятилетие этой программы совпало с **юбилеем** А.С. Пушкина. Посольство Франции и Французский культурный центр по этому случаю организовали цикл встреч «Французская литературная весна». В этих встречах принимали участие крупнейшие писатели Франции.

В местах, связанных с именем Пушкина (в Михайловском, Болдино и других), проходят многочисленные **народные гуляния**.

а) *Какие праздники существуют в вашей стране? Как их отмечают?*

б) *Как вы считаете, какие юбилеи следует отмечать и как?*

в) *Назовите ближайший юбилей кого/чего-либо. Как идёт к нему подготовка? Назовите недавний юбилей. Как он прошёл?*

театр	сцена
	сценическое искусство
филармония	
театральный	город, комплекс, форум...
театральная	олимпиада, постановка, программа...
спектакль (*м*)	художественный руководитель
концерт	художественная программа
постановка	постановка по произведению *кого*
представление	представление по сценарию *кого*
	сценарий представления
мистерия	**артист**
премьера, сезон, труппа, гастролёр	**публика**
	музыкант
фестиваль	**коллектив**
летний	фестиваль «Звёзды белых ночей»
традиционный	

3. Прочитайте и скажите, о чём идёт речь в информационных сообщениях. С какой целью организуют подобные олимпиады, фестивали? Кто принимает в них участие?

А. Мистерия в Москве

(Третья Всемирная олимпиада проходила в столице России)

Эстафету Второй Всемирной театральной олимпиады, торжественно завершившейся в японском городе Сидзуока, приняла Москва. В 2001 году российская столица стала местом проведения третьего по счёту международного праздника сценического искусства.

Москва, бесспорно, — город театральный и поэтому не случайно была избрана столицей очередной олимпиады.

«Конечно такой потрясающий театральный комплекс, который построили в Сидзуоке специально к олимпиаде за 550 млн долларов, мы строить не стали, — сказал генеральный директор Московской театральной олимпиады. — Мы постарались сделать акцент на художественной программе».

По сценарию открытия грандиозного представления была специально написана музыкальная мистерия под названием «Полифония мира». Её участниками стали коллективы из 20-ти стран.

Б. В ожидании «Лоэнгрина»

«Звёзды белых ночей»

Завтра в Санкт-Петербурге открывается традиционный летний фестиваль «Звёзды белых ночей». Художественный руководитель фестиваля, как всегда, позаботился о том, чтобы последний аккорд уходящего сезона потряс воображение публики. Программа рассчитана на две недели, включает великое множество спектаклей и концертов, которые состоятся в Мариинском театре, Эрмитажном и в обоих залах филармонии. Основная «ударная сила», естественно, труппа «Мариинки», но ожидаются и гастролёры. В рамках фестиваля будут показаны недавние оперные премьеры. А самая главная премьера — продолжающий мариинскую Вагнериану «Лоэнгрин» — в самых лучших традициях запланирована на последний день фестиваля. Этот аккорд публика должна запомнить надолго.

а) Выберите правильное, по вашему мнению, утверждение. Аргументируйте ваше мнение, используя материал сообщений.

1) Фестиваль «Звёзды белых ночей» проходит в Санкт-Петербурге каждое лето.

Фестиваль «Звёзды белых ночей» прошёл в Санкт-Петербурге только в этом году.

2) Всемирная театральная олимпиада всегда проходит в Москве.

Всемирная театральная олимпиада проходила в Москве в 2001 году.

3) В представлениях фестиваля (олимпиады) участвуют артисты только Санкт-Петербурга и Москвы.

В представлениях фестиваля (олимпиады) участвуют артисты из разных стран.

б) Какой фестиваль (конкурс) вызывает наибольший интерес или ажиотаж?

в) Почему артисты, музыканты стремятся попасть на фестиваль?

г) Вы можете назвать наиболее престижный фестиваль? Аргументируйте ваш выбор.

живопись (*ж*)	художественный центр, институт...
	художественная жизнь...

картина
полотно
произведение собрание *чего* (мирового уровня)
шедевр
памятник *чего*

выставка	выставка	открылась	*где*
		закрылась	

экспозиция

выставлять/выставить *что* для *чего* (для всеобщего обозрения)

4. Прочитайте информационные сообщения. Обратите внимание на употребление выделенных слов. Скажите, с какой целью организуют подобные выставки, подписывают соглашения о сотрудничестве?

А. Шедевры из-за океана

В Государственном музее изобразительных искусств им. А.С. Пушкина **проходила выставка** «Шедевры средневекового искусства» из музея «Метрополитен» (Нью-Йорк) и Художественного института (Чикаго).

Хотя американские **коллекции** памятников европейского средневековья возникли сравнительно недавно, в XX веке, это уникальные, **мирового уровня собрания**. Крупнейшая из них находится в музее «Метрополитен».

Экспозиция ГМИИ им. А.С. Пушкина — это была попытка показать в 82 **произведениях** развитие искусства европейского средневековья от первых его проявлений эпохи раннего христианства до заката — начала Северного Возрождения.

Выставка «Шедевры средневекового искусства» стала значительным событием **художественной жизни** Москвы.

Б. Эль Греко будет в гости к нам

В Эрмитаже подписано соглашение о сотрудничестве с музеем Прадо. Сотрудничество как таковое, впрочем, началось уже довольно давно. **Картины из эрмитажного собрания** выставлялись в Испании неоднократно. В испанских залах Эрмитажа в течение двух месяцев демонстрировались знаменитые «Махи» — «Одетая» и «Обнажённая». На столь продолжительное время эти **полотна** до того ни разу не покидали Прадо. Запланировано несколько подобных **экспозиций** — зрителям будут показаны **картины** Веласкеса и Эль Греко.

Эрмитаж остался единственным российским музеем, который поддерживает связи на таком высоком уровне. Благодаря многочисленным иностранным обществам друзей музея в его залах можно увидеть работы, которые мировые **художественные центры** «выпускают» крайне неохотно. Соглашение с Прадо тем более многообещающе, поскольку предполагает особые условия страхования **произведений искусства**, которые, как известно, и составляют основную статью расходов принимающей стороны.

а) Согласны ли вы с утверждением, что искусство сближает людей разных стран, помогает им лучше понять друг друга?

б) Расскажите о каком-либо важном (интересном) событии в культурной жизни в вашей стране (в России).

в) По материалам свежих газет подготовьте сообщение о каком-либо культурном событии (мероприятии).

г) Напишите заметку о посещении картинной галереи и отзыв о картине, которая вам больше всего понравилась.

БИЗНЕС

I.	фирма	производство торговля	(см. с.111)
II.	банк	финансы	(см. с.112)
III.	биржа	фондовая торговая	(см. с.114)
IV.	выставка, салон		(см. с.140)

I. учреждать/учредить *что*

учредитель *чего* | учредительный договор
| учредительские документы

компания

акционерное общество | открытого | типа (АО)
| закрытого |

товарищество с ограниченной ответственностью (ТОО)
производить/произвести *что*
производитель *чего*

производство *чего* | приступить к производству *чего*
| наладить производство *чего*

уставный капитал

контракт *на что* | подписывать/подписать контракт *на что*
| расплатиться по контракту

поставка | промышленного оборудования
| запасных частей *к чему*

рентабельность предприятия
рентабельное | предприятие
обанкротившееся |

рынок | завоёвывать/завоевать рынок
| выходить/выйти на рынок
| выводить/вывести *что* на рынок

1. Обратите внимание на употребление выделенных слов.

а) Вчера в Таганроге был подписан **учредительский договор** о создании **акционерного общества открытого типа** «Таганрогский Петровский порт», **уставный капитал** которого составляет более 1,5 млрд рублей.

б) Второе пришествие Hooch.

Один из крупнейших российских **производителей** прохладительных напитков — компания «Meranak» в конце мая приступила к **производству** слабоалкогольных сокосодержащих напитков Hooch. В начале 90-х годов эту марку **вывела на рынок** английская компания Bass Beers, и за короткое время напитки Hooch завоевали популярность у европейской молодёжи. По оценкам экспертов, у Hooch хорошие перспективы и в России.

Согласно подписанному соглашению «Meranak» получает право в течение пяти лет **производить** и **продавать** напитки на территории России и Белоруссии. Договор может быть продлён ещё на 15 лет. По планам руководства компании в год **будет производиться** порядка 8,4 млн банок на сумму $3,7 млн Bass Beers уже пыталась **наладить производство и сбыт** Hooch в России. Однако этот проект закончился неудачей, и англичане отобрали права на дистрибуцию этого напитка у прежнего франчайзинг-партнёра.

II. (коммерческий) **банк**

получать/получить	
давать/дать *кому*	**лицензию** *на что*
отзывать/отозвать	

вкладчик оказывать услуги *кому*
клиент клиентское обслуживание
держатель *каких* средств

партнёр
конкурент (жёсткая) **конкуренция**

банковские	**операции**	осуществлять	*какие* операции
финансовые		совершать	
		проводить	

валютные	**средства**	средства	от экспорта
денежные	**вклады**		от продажи *чего*

выплата вкладов
нехватка средств

валютный рынок, контроль...
валютная интервенция, наличность...
валютные счета, средства...
ужесточение валютного контроля

инвестор (иностранные) **инвестиции**
инвестирование *во что* привлекать/привлечь
инвестировать *сколько во что* **инвестиции** *во что*

дополнительный		потребность в кредитах
льготный	кредит	удорожание кредита
дорогой		

предоставлять/предоставить *кому*	
распределять/распределить	
выделять/выделить *кому*	кредиты
выдавать/выдать *кому*	
погашать/погасить	

кредитова́ть *что*   (льготное) кредитование *чего*

| кредитная | политика |
| | эмиссия |

вексель (*м*);   погашать/погасить вексель
депозитный сертификат

просрочить	зачисление *чего* на счёт *кого*	платёжная система
	выплату *чего*	
	платежи	

| иск   подавать/подать иск | к банку |
| | с требованием *чего* |

штраф   штрафные санкции
инфляция   инфляционный процесс

уровень			рубля
скачок		стабилизация	экономики
рост	инфляции		валютного рынка
снижение			

арбитражный суд
банкрот   банкротство   процедура банкротства

2. *Обратите внимание на употребление выделенных слов и словосочетаний.*

а) Московский **арбитражный суд** приостановил производство по делу **о банкротстве** банка. Дело приостановлено до решения суда о правомерности **отзыва** у Инкомбанка **лицензии** ЦБ РФ **на проведение операций**.

б) Компания «Ренессанс» подала в **Арбитражный суд** Москвы иск **о взыскании** с «Промышленного банка» **задолженности по векселям** на сумму $700 тыс. Банк отказался вовремя **погашать** свои **векселя**.

в) Котировки единой европейской валюты снизились до минимального, с момента её ввода в обращение, уровня. Большинство аналитиков считает, что в ближайшее время **вложение средств в** евро принесёт одни лишь убытки. **Курс** евро, вопреки радужным прогнозам, **упал** до самой низкой отметки с момента начала **торгов** в январе.

III. (фондовая) биржа

биржевой курс *чего*

спрос *на что* — **предложение** *чего*

покупка *чего* — **продажа** *чего*

скупка *чего*

ажиотажный отложенный	спрос	повышение снижение	спроса

биржевые финансовые активные	операции *с чем*

операции сделки	с акциями с иностранной валютой с бензином с недвижимостью	заключать проводить совершать	сделки *с чем*

ценная бумага акция облигация	пакет	ценных бумаг акций облигаций

торги	участвовать в торгах

взвинченные низкие оптовые	цены	котировки	ценных бумаг акций

повышение		**учётная ставка**	
рост		повышать/повысить	
снижение		поднимать/поднять	учётную ставку
понижение	цен *на что*	снижать/снизить	
падение			
стабилизация			

вырасти	
подняться	*на сколько* процентов
понизиться	

биржевой курс	рубля	**скачок**	
	доллара	**падение**	курса *чего*
	валюты	**стабилизация**	

курсовая стоимость *чего*

долговые		
краткосрочные	**обязательства**	**рынок** долговых обязательств
долгосрочные		
казначейские		

распродажа по сниженным ценам

аукцион по продаже *чего*

| проводить/провести | |
| сорвать | аукцион |

дотации *на что*

ассигнования *на что*

акцизы

3. Обратите внимание на употребление выделенных слов и словосочетаний.

а) Котировки наиболее **ликвидных ценных** бумаг вчера в Российской торговой системе **выросли** в среднем на 17% по отношению к ценам на момент закрытия **торгов** в понедельник. Основной **оборот** пришёлся на **операции с обыкновенными акциями** этой компании, **цены** на которые позавчера активнее всего **падали**. Акции РАО «ЕЭС» **выросли** на 22%. По прогнозам, сегодня **цены на акции** могут как **расти**, так и **падать**.

б) Динамика **торгов** на **крупнейших мировых биржах** в начале недели полностью соответствовала общей тенденции последнего месяца — продолжалось **падение цен** на основные товары. Как обычно, в первую очередь это коснулось **котировок** энергоносителей и золота. Но уже в среду **цены** на рынке топливных материалов **стабилизировались** и даже **начали расти**. Аналитики полагают, что произошло это во многом благодаря заявлению министра нефти Саудовской Аравии, сообщившего, что странам — членам ОПЕК всё же «удалось в мае на 90% выполнить договорённости о сокращении добычи нефти».

А вот на рынке драгоценных металлов сохранились унылые настроения. Вдобавок во вторник **по котировкам золота** был нанесён новый удар: Deutsche Bank заявил, что в связи с изменением **финансовой политики** он в самое ближайшее время начнёт продавать золото из своих резервов. И **цены** в очередной раз **упали**, на этот раз опустившись до минимального за 20 лет уровня.

4. *Прочитайте предложения. Обратите внимание на употребление выделенных слов и словосочетаний. Поставьте вопросы к определениям и дайте краткий ответ на них.*

Образец. Валютные средства **от экспорта** находятся на счетах предприятий-производителей. — **Какие** средства находятся на счетах предприятий-производителей? — Валютные средства **от экспорта**.

1) На бирже сохранилась тенденция **к повышению цен на цветные металлы**. 2) Доходность игры **на повышение** выросла на прошлой неделе на 80%. 3) Заметно повысилась эффективность операций **с сахаром**. 4) Стороны подписали договор **о создании акционерного общества открытого типа**. 5) Предполагается, что в ближайшее время банк начнёт активные операции **с иностранной валютой и российскими рублями**. 6) Вчера московский инвестиционно-торговый центр жилья подвёл итоги аукциона **по продаже муниципальных квартир**, который состоялся 5 февраля. 7) Этот банк начал рекламную кампанию **по привлечению валютных средств под депозитные сертификаты**. 8) Товариществу **с ограниченной ответственностью** «Русский госпиталь» удалось сделать рентабельным свой бизнес, существующий в условиях жёсткой конкуренции. 9) Каждый из присутствующих на

торгах получил возможность **ввести через свой собственный терми-нал** заявки **на покупку и продажу казначейских долговых обяза-тельств**.

5. *Составьте словосочетания с несогласованными определениями, а потом — предложения с ними.*

Образец. Обсудить перспективы — совместная деятельность.
Обсудить перспективы совместной деятельности.

подписать договор	обслуживание банком клиента
проводить сделки	ценные металлы
провести аукцион	продажа обанкротившихся предприятий
получить разрешение	демонстрация образцов товаров
продавать объекты	незавершённое строительство
продолжить рекламную кампанию	привлечение инвестиций в строительство нового завода
принять решение	выделить дополнительный кредит
объявить о намерении	контролировать деятельность фондовых бирж
оказывать услуги	депонирование валютных средств на срочные валютные счета

6. *Найдите в данных предложениях определения к выделенным сло-вам. Поставьте к ним вопросы.*

1) Московское правительство ввело запрет на **торговлю** с рук на улицах столицы. 2) **Операции** с совместной тактикой **игры** на повы-шение и понижение могли бы обеспечить **рентабельность** на уровне 300%. 3) Объединение подало в арбитраж **иск** к банку **с требованием** вернуть валютные средства, переданные ему на хранение в 1991 году. 4) В товарной структуре коммерческого экспорта традиционно преоб-ладали **контракты** на поставку промышленного оборудования и запас-ных **частей** к промышленным машинам и установкам.

7. *Прочитайте информационное сообщение и ответьте на во-просы.*

Решение о валютном контроле и льготных кредитах отложено. На вчерашнем заседании правительственной Комиссии по кредитной политике были обсуждены проблемы валютного регулирования и распределения кредитов среди государственных предприятий.

Комиссия рассмотрела проект постановления правительства «О мерах по развитию валютного рынка и организации валютного контроля». Он предусматривает ужесточение валютного контроля и изменение доли валюты, подлежащей обязательной продаже. По словам сотрудников аппарата, на сегодняшний день не удалось преодолеть разногласий между разработчиками этого документа, и он отправлен на доработку.

Министр экономики доложил участникам заседания о текущих потребностях государственных предприятий в кредитах. Поскольку критерии необходимости льготного кредитования на сегодняшний день ещё не определены, то не ясен и суммарный объём кредитов. Поэтому Комиссия поручила экспертам к концу недели разработать критерии, определяющие такие кредиты.

Кроме того, на заседании были заслушаны предложения Центрального банка по ограничению кредитной эмиссии.

1) Какая комиссия заседала вчера?

2) Какие проблемы обсуждала эта комиссия?

3) Какое постановление предполагает принять правительство?

4) Какие предложения Центрального банка заслушали на заседании?

8. *Составьте предложения, используя материал для справок.*

Комиссия по кредитной политике	обсудила	*какие* проблемы
	рассмотрела	проект постановления
	отправила на доработку	*какой* доклад
	заслушала	*какие* предложения
	поручила разработать	*какой* документ
	выслушала	критерии *чего*

М а т е р и а л д л я с п р а в о к: регулирование и распределение кредитов среди государственных предприятий; меры по развитию валютного рынка и организация валютного контроля; ужесточение валютного контроля; текущие потребности государственных предприятий в кредитах; необходимость льготного кредитования; ограничение кредитной эмиссии.

Выражение причинных отношений (см. с. 42 и с. 227)	
Простое предложение	Сложное предложение
Предлоги	Союзы и союзные слова
благодаря *чему* из-за *чего* по *чему* ввиду *чего* вследствие *чего* за *что*	потому что поскольку ибо так как
	дело в том, что
Лексические средства (глаголы)	
вызывать/вызвать *что* приводить/привести к *чему*	

Примеры: **Благодаря** продуманной налоговой политике курс национальной валюты стабилизировался. **Из-за** резкого падения цен на кофе инфляция в стране растёт. Биржа временно прекратила операции с иностранной валютой **по** финансовым соображениям. **Ввиду** болезненного, но неизбежного переходного периода правительство вынуждено пойти на непопулярные решения. Инфляция в стране растёт **вследствие** резкого падения цен на кофе. Бизнесмен может быть привлечён к судебной ответственности **за** уклонение от налогов. Резкое падение цен на кофе **вызвало** инфляцию в стране. Резкое падение цен на нефть **привело к** инфляции в стране.

*9. Прочитайте предложения. Обратите внимание на употребление предлогов **благодаря** и **из-за**. Поставьте вопросы к словосочетаниям с этими предлогами. Определите тип предложений.* (см. с. 230)

1) Голландцы выиграли конкурс на право строительства мини-завода по переработке молока благодаря тому, что их технология производства сыра, используемая с XVII века, гарантирует высокое качество продукции. 2) Импорт российских товаров в Индию достиг рекордного уровня благодаря резкому увеличению импорта типографской бумаги и

цветных металлов. 3) Компания объявила о потере в прошлом году около 11 млрд рублей из-за низкого спроса на пассажирские перевозки. 4) Инвесторы оказываются поставленными в достаточно беззащитное положение перед продавцами депозитных сертификатов из-за отсутствия отработанного законодательства, а также из-за отсутствия каких-либо гарантий со стороны продавца депозитных сертификатов.

10. *Составьте предложения, используя данные словосочетания и нужный предлог.*

1) Доходы на европейских авиатрассах резко сократились	«тарифные войны» и общий спад экономики
2) Многие биржи стали известными	растущая популярность начатого ими бизнеса
3) Эта важная отрасль экономики стоит на краю	жёсткие тарифные конфликты
4) Фирма не смогла расплатиться по контракту	нехватка средств
5) МТБ не является сторонником открытия филиалов биржи	неясность в их юридическом статусе

11. *Замените простое предложение сложным, употребив глаголы вместо отглагольных существительных.*

1) Договор приобретает решающее значение **ввиду глубоких экономических реформ**, которые осуществляет правительство. 2) Арбитражный суд определил штрафные санкции банку **за просрочку зачисления денежных средств на счёт клиента**. 3) Участвующие в торгах банки продолжают сталкиваться с проблемой взаиморасчётов **вследствие отсутствия единого расчётного центра биржи**. 4) **В связи с увеличением прибывающих на московские станции грузов**, а также для стимулирования автотранспортных предприятий в их своевременном вывозе тарифные ставки на перевозки удвоились. 5) Арбитражные суды часто отказывают в иске против банка. Происходит это **по вине клиента**: часто фирма неправильно определяет предмет иска.

12. *Составьте предложения, используя данные справа слова и словосочетания. Употребите нужный предлог. Если возможно, составьте и сложное предложение.*

1) Правительство рекомендовало банкам не предоставлять кредиты некоторым предприятиям	отсутствие гарантий возврата денег
2) Министерство экономики рассчитало изменения цен по всем отраслям промышленности	повышение цен на топливно-энергетические ресурсы
3) Масштабом измерений капиталовложений и сделок с активами стал не уставный капитал, а его оборот	инфляция
4) Возможно некоторое снижение курса доллара на бирже	сброс валютной наличности со стороны держателей партий валютных средств
5) На торгах Уральской валютной биржи объём операций сократился	достижение на предыдущих торгах рекордного уровня объёма продаж
6) Работников торговли и общественного питания штрафуют	нарушение правил торговли
7) Должностные лица несут ответственность, установленную законодательством РФ, ...	нарушение муниципальными предприятиями режима работы

13. *Прочитайте предложения. Обратите внимание на употребление глаголов **приводить/привести** и **вызвать**. Поставьте вопрос к словосочетаниям с этими глаголами и ответьте на него.*

<u>Образец.</u> Паника на бирже часто **приводит к** непредсказуемым результатам. — **Почему** на бирже часто бывают непредсказуемые результаты? — **Потому что** на бирже часто бывает паника.

1) Ажиотажный спрос на твёрдую валюту на российском внутреннем рынке **привёл к** резкому скачку биржевого курса доллара. 2) Отсутствие в России традиции проведения распродаж по сниженным ценам **привело к** тому, что солидные партии летних товаров до сих пор лежат на оптовых складах. 3) Отсутствие информации **вызвало** ажио-

таж на биржах, и сделки заключались по ценам гораздо выше, чем при обычных условиях. 4) Локальный кризис сбыта **вызвал** некоторое снижение минимальных цен на непродовольственные товары.

14. *Составьте предложения, используя данные словосочетания и глаголы* **приводить/привести, вызывать/вызвать.**

<u>Образец</u>. Повышение цен на нефть — обострение международной обстановки. Повышение цен на нефть привело к обострению международной обстановки. Повышение цен на нефть вызвало обострение международной обстановки.

1) Апрельский эмиссионный всплеск — интенсивный рост цен в июне. 2) Снижение масштабов эмиссии в мае — замедление темпов роста цен в июле. 3) Существенное превышение предложения над спросом — падение биржевого курса доллара. 4) Импорт высококачественных товаров — повышение спроса на валюту. 5) Медлительность, противоречивость подходов к реформам — ухудшение ситуации в стране. 6) Объединение двух государств — экономические трудности.

15. *Прочитайте предложения. Произведите синонимичную замену выделенных союзов на союз* **потому что.**

1) Впоследствии предполагается привлечение иностранных инвестиций, **поскольку** стоимость строительства нового порта оценивается в 4 млрд долларов. 2) Нужно сокращать или, по крайней мере, относительно сокращать дотации в угольную промышленность, **поскольку** ясно, что она в значительной части нежизнеспособна. 3) Банк перевести валюту не успел, **поскольку** в январе счёт во Внешэкономбанке был заморожен. 4) Рост доходов населения даст новый виток инфляции, но реформа не заглохнет, **ибо** цены всё сильнее приближаются к рыночным. 5) Подавляющее большинство аукционов будет практически сорвано, **так как** значительная часть удовлетворённых заявок не будет реально доведена до покупки акций. 6) По мнению экспертов, значение рынка страховых услуг в ближайшее время будет возрастать, **так как** страховые компании представляют собой удобный инструмент для проведения различных финансовых операций. 7) Скопление продукции на складах можно объяснить фактором отложенного спроса, который

образовался в декабре **в связи с тем, что** предприятия отгружали свою продукцию только в счёт недовыполненных контрактов. 8) Импортные акцизы пока не повлияли впрямую на деятельность коммерсантов, **поскольку** значительная часть импортных поставок в течение двух месяцев будет осуществляться по контрактам, заключённым до 22 декабря.

16. *Прочитайте корреспонденцию. Выполните послетекстовые задания.*

Всего один процент...

1,1% — таков официальный уровень инфляции в стране за январь. Это самый высокий показатель за последние семь лет. По мнению экспертов, скачок инфляции вызван серьёзным ростом цен на топливо и фрукты, стоимость которых поднялась на 10%. Причина — суровая в этом году зима во многих штатах страны.

Обычным лекарством для снижения инфляции в стране является повышение учётной ставки процента, под который банки выдают кредиты компаниям. Но сейчас учётная ставка повышена не будет.

В этом есть свой резон, ибо удорожание кредита означает в конечном счёте «охлаждение» экономики. А она в стране в последний год и без того проявляет признаки сонливости. Максимум, что правительство могло пообещать конгрессу, — это её «умеренный рост» в течение текущего года.

Но в завязанной единым узлом международной экономике сдержать подобное обещание весьма трудно. Дело в том, что другие страны подняли свои учётные ставки в попытке сбить инфляционные процессы. В этих условиях японским и европейским промышленникам становится крайне невыгодно помещать свои деньги в стране, закупая, согласно сложившейся практике, акции предприятий и государственные облигации. Между тем именно это обстоятельство, то есть наличие иностранных капиталовложений в стране, помогало правительству до сих пор оплачивать дефицит федерального бюджета. «Ситуация, сложившаяся сегодня, такова, — комментирует развитие последних событий один из специалистов, — что она может привести к краху финансовой системы страны».

Так что единственным выходом, как считают здешние финансовые эксперты, остаётся, по-видимому, повышение учётных ставок в стране. А это означает одно — более дорогие кредиты на покупку дома, автомобиля, расширение производства и т.д. Но чем меньше будут покупать те или иные изделия, тем меньше их будут производить. А сокращение производства обыкновенно ведёт к увольнениям, т.е. к росту безработицы.

Биржа, понятное дело, тоже остро реагирует на то, что происходит на биржах Токио и Лондона. Стоило заметно упасть курсу акций в Японии, как тут же «зачихал» Уолл-стрит. За два дня курс акций в Нью-Йорке снизился на пятьдесят с лишним пунктов. Заметно участилось в последнее время число банкротств крупнейших банков. Мало кто предсказывает приближение крупного кризиса экономики, но многочисленные признаки её нездоровья налицо. Последние данные об инфляции — одно из подтверждений тому.

а) Составьте предложения, используя данные слова и словосочетания.

что **вызвано** *чем*

Скачок инфляции	рост цен на топливо и фрукты
Рост цен на топливо и фрукты	суровая зима в этом году
Трудности в экономике	удорожание кредита
Крах финансовой системы страны... .	сложившаяся ситуация в экономике

что **привело** *к чему*

Рост цен на топливо и фрукты	скачок инфляции в стране
Суровая зима в этом году	повышение цен на топливо и фрукты
Сложившаяся ситуация в экономике	крах финансовой системы страны
Удорожание кредита	трудности в экономике
Сокращение производства	увольнения, рост безработицы
Сокращение покупательной способности	сокращение производства

согласно чему, в результате чего	
Зарубежные промышленники покупают акции предприятий и государственные облигации США	сложившаяся практика
Зарубежным промышленникам сейчас невыгодно покупать акции предприятий и государственные облигации	сложившаяся ситуация

потому что; в связи с тем, что	
Другие страны подняли свои учётные ставки	другие страны хотят сбить инфляционные процессы в своих странах
Наличие иностранных капиталовложений выгодно стране	наличие иностранных капиталовложений помогает оплачивать дефицит федерального бюджета
Курс акций в Нью-Йорке снизился... .	в Японии упал курс акций

поэтому, в связи с чем	
Другие страны хотят сбить инфляционные процессы в своих странах	другие страны подняли свои учётные ставки
Наличие иностранных капиталовложений помогает оплачивать дефицит федерального бюджета	наличие иностранных капиталовложений выгодно стране
В Японии упал курс акций	курс акций в Нью-Йорке снизился на пятьдесят пунктов

б) Ответьте на вопросы, используя материал корреспонденции.

1) Почему в стране началась инфляция?

2) Почему правительство вынуждено было поднять учётную ставку?

3) Почему финансовая система страны зависит от экономической ситуации в других странах?

4) Почему правительство не торопится повысить учётную ставку?

5) Почему в стране увеличилось количество банкротств банков?

Выражение целевых отношений
(см. с. 66 и с. 237)

17. *Прочитайте предложения. Обратите внимание: подчёркнутые слова и словосочетания отвечают на вопрос* **с какой целью.** *Произведите замену простого предложения на сложное, заменив отглагольные существительные глаголами.*

Образец. Выделяются крупные реабилитационные кредиты **для оплаты** импорта товаров первой необходимости. — **С какой целью** выделяются крупные реабилитационные кредиты? — **Чтобы** оплатить импорт товаров первой необходимости.

1) Запад создал 6-миллиардный долларовый фонд **для стабилизации** рубля. 2) Даже огромных денег будет явно недостаточно **для удовлетворения** колоссального платёжного спроса. 3) **Для нормального существования** предприятие должно продавать на международном рынке как минимум 10–15% своей продукции. 4) **Для удержания** на рынке своей ниши предприятие вынуждено обновлять продукцию, больше уделять внимания качественным запросам покупателей. 5) Великие нефтяного мира готовы рискнуть своими нефтедолларами **ради разработки**, как считают, богатейшего месторождения «чёрного золота» в этом районе. 6) Продолжение Центральным банком политики, направленной на осуществление валютных интервенций **с целью покрытия** разницы между спросом и предложением, позволило ему удержать биржевой курс доллара на первоначальной отметке. 7) Ожидается, что правительство увеличит цены на табак и алкоголь **с целью получения** дополнительных средств в казну.

18. *Закончите предложения, используя словосочетания, данные справа, и предлоги* **для чего**, **с целью** *чего (инф.),* **в целях** *чего,* **ради** *чего,* **в интересах** *кого-чего.*

1) Стране понадобится иностранная помощь	стабилизация экономики

2) Министр подчеркнул необходимость использовать таможенный тариф	защита внутреннего рынка
3) Новая компания создана	реализация проекта строительства нового порта
4) Центробанк разработал пакет мер по стабилизации валютного рынка	удержание курса доллара
5) Закон о чрезвычайном положении был принят в прошлом году	вывод страны из экономического кризиса
6) Всемирный банк и Международный валютный фонд усиливают давление на правительство	убедить его передать государственные корпорации в частные руки
7) Правительство заявило о намерении провести реформу	стабилизация экономики
8) Предполагается выделение льготных кредитов в объёме 200 млн долларов в год	поощрение экспорта продукции машиностроения
9) Правительство приносит в жертву интересы простых людей	получение монополиями более высоких прибылей

19. *Произведите синонимичную замену простых предложений на сложные.*

<u>Образец.</u> Парламент выделил дополнительные средства на оказание помощи беженцам. — Парламент выделил дополнительные средства для того, чтобы оказать помощь беженцам.

1) Банк выделил ассигнования на строительство нового завода. 2) Правление завода тратит большие средства на модернизацию производства. 3) В Петербурге большинство брокеров играли на повышение курса акций.

20. *Прочитайте предложения. Обратите внимание: деепричастный оборот отвечает на вопрос* **с какой целью**. *Произведите замену деепричастного оборота на сложное предложение.*

1) Желая ускорить процесс приватизации в столице, несколько комиссий Московской думы обратились к президенту с просьбой ввести в

Москве именные приватизационные счета. 2) Удовлетворяя растущий спрос сограждан на цветы, токийский муниципалитет открыл самый крупный в стране рынок цветов. 3) Вырабатывая 2 млрд киловатт-часов электроэнергии, эта электростанция сжигает более полутора миллионов тонн угля.

21. *Прочитайте информационное сообщение и скажите, как вы понимаете первую фразу: Туризм — больше, чем экскурсия. С какой целью бизнесмены стараются улучшить обслуживание туристов?*

Туризм — больше, чем экскурсия. Такого мнения придерживаются бизнесмены, высоко ценя значение этой сферы деятельности.

Будущий год объявляется «годом посещения страны», что, помимо мыслей о престижности, вызывает озабоченность деловых кругов: готова ли страна принять большой поток туристов со всех континентов? Знатоки этого вида бизнеса далеки от оптимизма, так как проблемы, связанные с развитием гостиничного хозяйства, обустройством курортов, предоставлением транспортных услуг и другие, остаются во многом нерешёнными. Правда, правительство недавно приняло ряд поощрительных мер для развития туризма.

Стремясь повысить «продуктивность» туризма, бизнесмены стараются точнее учесть все категории приезжающих, их интересы, увлечения. Конечно, удовлетворить гостей не просто, но чем лучше их настроение, тем сильнее будет желание возвратиться в страну, а значит, будет валютный доход.

22. *Прочитайте статью. Скажите, почему она так называется.*

Чтоб не пропасть поодиночке

В Санкт-Петербурге образован открытый межбанковский альянс. Его цель — защита от нарастающей нестабильности в банковской сфере в условиях экономического кризиса и ужесточения государственного контроля за деятельностью коммерческих банков.

Альянс предусматривает согласованную кредитно-денежную и, частично, кадровую политику, взаимопомощь и взаимные гарантии, создание совместных страховых фондов, что однозначно повышает надёжность банков для вкладчиков. «Объединились банки, сознающие, что поодиночке сломать нас легче, чем в связке», — комментирует один из координаторов альянса, президент Астробанка.

Бесспорными выглядят такие плюсы, как оптимизация в рамках альянса корреспондентской сети, возможность эффективного финансового манёвра, создание совместной системы пластиковых карт, коллективное пользование коммуникациями и предоставление сервисных услуг через банки-партнёры. Предусмотрены экспертиза и финансирование проектов в интересах региона, создание единого эмиссионного синдиката, вексельного центра для работы с долгами банков, предприятий и других заёмщиков.

Соглашение не страдает декларативностью. Формирование совета директоров альянса, штрафные санкции за неисполнение его решений — всё это наводит на мысль, что следующим шагом будет более тесное сотрудничество вплоть до слияния функций и капиталов. Развитие событий зависит от экономической ситуации, породившей их альянс. Объединение пока ещё более мягкое, чем картель, но куда более жёсткое, чем ассоциация.

Существенно, что банкиры сами добровольно выбрали эту жёсткость. Несмотря на ласкающие слух разговоры о скором превращении Петербурга в мощный финансовый центр, даже ведущие банки города весьма уязвимы. Один из них — «Санкт-Петербург» — в конце прошлого года внезапно оказался под угрозой смены собственника вследствие массовой скупки его акций по взвинченным ценам брокерской фирмой, за которой угадывались влиятельные конкуренты.

Дабы избежать подобных ЧП, участники альянса договорились информировать друг друга о неблагоприятных акциях, исходящих извне, о недобросовестных заёмщиках, не применять сомнительных методов борьбы за клиента и т.д. Упор на этические принципы неизбежен. Банки остаются юридически самостоятельными, со своими правлениями, акционерами, и соглашение может держаться поистине на «честном слове».

Известно, что ряд банков, не только петербургских, изучают документы и собственные возможности на предмет вхождения в альянс. Однако далеко не ясно, все ли субъекты рынка одобряют этот «договор о банковском согласии» и как оценят власти заложенный в нём потенциал.

а) Составьте предложения, используя материал корреспонденции.

Банки объединяются

защита *от чего* ... .
создание *чего* ... .
согласование *чего* ... .
оптимизация *чего* ... .
коллективное пользование *чем* ... .
предоставление *чего через что* ... .

*б) Составьте предложения из данных словосочетаний. Употребите предлоги **для**, **в целях**, **в интересах**.*

1) Банки создают совместные страховые фонды — повышение надёжности банков для вкладчиков. 2) Банки создают вексельные центры — работа с долгами банков, предприятий. 3) Банки создают совместную систему пластиковых карт — удобство вкладчиков банков. 4) Банки будут финансировать проекты — регион.

Выражение условных отношений *(см. с. 70 и с. 240)*

---

23. *Закончите предложения так, чтобы они совпадали по смыслу с данными предложениями.*

1) Оптовые цены могут значительно снизиться, если кредитные средства ЦБ не будут уходить на покрытие бюджетного дефицита.

Оптовые цены снизятся, если ... .

Оптовые цены не снизятся, если ... .

Оптовые цены снизились бы, если бы ... .

Оптовые цены не снизились бы, если бы ... .

2) Кредит подешевеет, если банки будут стимулировать инвестиции в производство за счёт более мягкого подхода к кредитованию промышленности.

Кредит не подешевеет, если ... .

Кредит подешевел бы, если бы ... .

Кредит не подешевел бы, если бы ... .

3) Если бы фирма потребовала возмещения убытков из собственных средств банка, она имела бы больше шансов на успех.

Фирма будет иметь больше шансов на успех, если ... .

Фирма не будет иметь шансов на успех, если ... .

Фирма имела бы больше шансов на успех, если бы ... .

Фирма не имела бы шансов на успех, если бы ... .

4) При достижении договорённости четырёх авиакомпаний появилась бы единая структура с годовым оборотом около 12 млрд долларов.

Появится единая структура с годовым оборотом около 12 млрд долларов, если ... .

Не появится единая структура с годовым оборотом около 12 млрд долларов, если ... .

Появилась бы единая структура с годовым оборотом около 12 млрд долларов, если бы ... .

Не появилась бы единая структура с годовым оборотом около 12 млрд долларов, если бы ... .

24. *Прочитайте информационные сообщения. Выполните послетекстовые задания.*

А. Руководство банка придаёт большое значение его развитию и улучшению работы с клиентами. Если банку действительно удастся сосредоточить в рамках своей деятельности весь комплекс услуг — от примитивной конвертации рубля до портфельного менеджмента, то это значительно сократит издержки инвесторов и резко поднимет авторитет банка.

— *Закончите предложения, используя информацию сообщения.*

Если банку удастся выполнить весь комплекс финансовых услуг, ...

Если банку не удастся выполнить весь комплекс финансовых услуг, ...

Если бы банку удалось выполнить весь комплекс финансовых услуг, ...

Если бы банку не удалось выполнить весь комплекс финансовых услуг, ...

Б. Деньги для строительства

Финансовые потребности московского стройкомплекса в I квартале определены в размере 510 млрд рублей. За этот период предусмотрено ввести в эксплуатацию 300 тыс. кв. м жилья, 4 школы, 4 детских сада, 1 поликлинику, 1 роддом.

По заявлению мэра Москвы, сроки сдачи объектов могут быть выдержаны только при условии своевременного финансирования работ.

— *Закончите предложения, используя информацию сообщения.*

Если работы будут своевременно финансированы, ...
Если работы не будут своевременно финансированы, ...
Если бы работы были своевременно финансированы, ...
Если бы работы не были своевременно финансированы, ...

Выражение уступительных отношений *(см. с. 56 и с. 242)*

---

25. *Составьте сложные предложения с уступительным значением, используя данные предложения.*

<u>Образец.</u> Налоговая политика государства не очень способствует развитию внешней торговли. Поток деловых людей в страну как с Запада, так и с Востока не ослабевает. — **Несмотря на то что** налоговая политика государства не очень способствует развитию внешней торговли, поток деловых людей в страну как с Запада, так и с Востока не ослабевает.

1) Страна страдает хронической массовой безработицей. На наукоёмких направлениях промышленности не хватает рабочих рук. 2) Преодолевать печальное наследие прошлого весьма непросто. Другого пути у страны нет. 3) В системе регулирования экспортных операций никаких изменений не произошло. Стоимостные показатели экспорта по сравнению с предыдущей неделей снизились в два раза. 4) Стартовый курс доллара был установлен на 0,05 руб. ниже официального. Предложение превысило спрос. 5) Премьер-министр сделал неожиданное заявление о невозможности в настоящее время индексировать оборотные средства предприятий. Директорский корпус настаивал на

индексации как на непременном условии замедления спада производства. 6) Проблема конвертируемости рубля представляет первоочередную важность для экономики. Этот вопрос не может быть решён в ближайшие два года. 7) Проект программы стимулирования российского экспорта был принят за основу. В его обсуждении пока не принимало участия Министерство финансов.

26. *Закончите предложения, используя предложное сочетание* **несмотря на** *и словосочетания, данные справа.*

Образец. Цены на продукты продолжают расти — антиинфляционные меры правительства. Цены на продукты продолжают расти, **несмотря на** антиинфляционные меры правительства.

1) Издательское дело в стране остаётся процветающей сферой бизнеса	надвигающийся экономический спад
2) Цены на аукционе незначительно превысили уровень конца прошлого года	глобальное понижение курса национальной валюты
3) По информации банковских кругов, спрос на немецкие марки оказался заметно ниже спроса на доллары	существенная доля Германии в структуре российского импорта
4) Оказалось, что есть возможность отыскать на Западе свою торговую нишу	разговоры о перенасыщенности западного рынка
5) Бывшая военно-воздушная база США заменит перегруженный столичный аэропорт	соседство базы с вулканом

27. *Закончите предложения. Объясните, какой результат действия вы указали (отрицательный или положительный).*

1) Несмотря на предпринятые меры правительства, ...

2) Несмотря на трудности в экономике, ...

3) Несмотря на высокие цены, ...

4) Несмотря на падение курса национальной валюты, ...

5) Несмотря на соглашение, достигнутое между банками, ...

28. *Составьте сложные предложения, используя материал из заданий 26 и 27.*

<u>Образец</u>. Цены на продукты продолжают расти, несмотря на антиинфляционные меры правительства. — Цены на продукты продолжают расти, несмотря на то что правительство принимает антиинфляционные меры.

29. *Прочитайте информационное сообщение. Объясните, как вы поняли, почему автор употребляет конструкцию* **несмотря на то что.**

БРЮССЕЛЬ (РИА). Крупнейший за всё время своего полуторавекового существования заказ получила из России бельгийская фирма «Матейс» из Лимбурга. Делегация Мособлстроя подписала с ней контракт на 1,2 млрд бельгийских франков. Фирма поставит краску и специальные составы.

Несмотря на то что продукция фирмы «Матейс» экспортируется в 50 стран мира, «особый контракт с русскими» был подписан в торжественной обстановке в присутствии фламандского министра внешней торговли.

Р а з л и ч а й т е !

> ПОЛЬЗОВАТЬСЯ
> ИСПОЛЬЗОВАТЬ
> ПРИМЕНЯТЬ

Комментарий

● **Пользоваться** — **1.** обладать чем-либо, иметь что-либо.

а) **пользоваться** *чем*	*какими* благами, землёй, независимостью, *каким* правом, *какими* правами, привилегиями, свободой...

Примеры: Мелкий бизнес в этой стране **пользуется** такими же правами, как и крупный. До сих пор истец распоряжения суда не выполнил и продолжает незаконно **пользоваться** землёй.

б) **пользоваться** *чем*	авторитетом, влиянием, вниманием, доверием, известностью, любовью, поддержкой, популярностью, признанием, спросом, уважением, успехом...

Примеры: Экономическая политика правительства **пользуется** поддержкой всего народа. По-прежнему **пользовались** спросом акции наиболее авторитетных компаний.

2. прибегать к помощи чего-либо как к средству в соответствии с назначением предмета.

а) **пользоваться** каким-либо видом транспорта;
б) **пользоваться** справочником, словарём, учебником...;
в) **пользоваться** компьютером, телетайпом, телефоном, телеграфом...;
г) **пользоваться** методом, способом, средством...

Пример: Бизнесмены не могут позволить себе **пользоваться** непроверенной информацией.

3. пользоваться/воспользоваться — извлекать выгоду из чего-либо, обращать что-либо себе на пользу.

пользоваться/ воспользоваться	*чем: какой* возможностью, моментом, плодами *чего*, поддержкой *кого*, превосходством над *кем/чем, каким* предлогом, *каким* преимуществом, результатами *чего, какими* трудностями *кого/чего*, услугами *кого/чего*...

Примеры: Многие тысячи частных фирм занимаются организацией туризма. Их услугами **пользуются** ежегодно сотни миллионов людей. В этом году во время отпуска он **воспользовался** услугами частной туристической фирмы.

- **Использовать** — **1.** делать/сделать так, чтобы что-либо помогало в работе, в достижении какой-либо цели субъекту.

использовать	*что*: авторитет, влияние, возможность *чего*, время, доверие, достижения, доходы, источник *чего*, материал, метод, момент, обстановку, опыт, ошибку, повод, положение, превосходство, предлог, преимущество, противоречия, связи, силу, средство, средства, тактику, труд, шанс ...

Пример: В своей работе фирма **использует** опыт своего партнёра.

! При передаче значений, выражаемых глаголами совершенного вида, глаголы **использовать** и **воспользоваться** являются синонимами.

Примеры: У этой страны есть исторический шанс, и она обязательно должна **использовать** его. = У этой страны есть исторический шанс, и она обязательно должна **воспользоваться** им.

Для передачи значений, выражаемых глаголами несовершенного вида, употребляются уточняющие обстоятельства цели, образа действия.

использовать
> *что:* (*в чём*) в работе, деле, статье, промышленности...
> в процессе работы, занятий...
> (*при чём*) при создании, написании...
> (*для чего*) для создания, развития, улучшения...
> (*в интересах кого-чего*) в интересах людей, государства, укрепления чего...
> в (*своих*) целях, интересах *кого-чего*...

Примеры: Президент **использует** многочисленные консультации **для** урегулирования экономического кризиса в стране. **С целью использовать** лучший мировой опыт в Москве собрались более 130 политических деятелей, экспертов, промышленников, бизнесменов из 40 стран.

! Сравните

Продукция этой фирмы **пользуется** спросом (продукция имеет спрос).

Фирма **использует** спрос на свою продукцию для расширения производства (спрос на продукцию помогает делу).

Мелкие газеты **пользуются** материалами, которые им предоставляют крупные ИТА (прибегают к помощи крупных ИТА).

Мелкие газеты **используют** в своей работе материалы, которые им предоставляют ИТА (печатают эти материалы на своих страницах).

2. использовать *кого* — привлекать к какому-либо делу (в сочетании с одушевлёнными существительными, местоимениями).

использовать рабочую силу...

Пример: Крупные компании строят свои предприятия в развивающихся странах с тем, чтобы **использовать** дешёвую там рабочую силу.

- **Применять/применить** — употребить что-либо на деле (на практике) каким-либо способом.

а) **применять/применить**	*что:* закон, *какой* метод, *какой* опыт, *какой* способ, *какую* теорию, *какое* правило, *какие* меры, *какое* средство, *какую* тактику...

Примеры: С ноября начали **применять** закон о налогах. Во многих науках широко **применяют** математические методы.

С р а в н и т е   **!**
Пример: Закон о печати будут **применять** к журналистам, которые **используют** ложную информацию.

б) **применять/применить** | *что: какую* технику...

Пример: В банках широко **применяют** современную технику.

(С р а в н и т е : В банках широко **используют** современную технику.)

в) **применять/применить** | *что: какие* знания, силу, труд...

Примеры: Во многих странах есть закон, запрещающий **применять** детский труд на производстве. После окончания университета студенты начнут **применять** свои способности и знания на практике.

30. *Прочитайте информационное сообщение и скажите:*

1) Какие государства будут пользоваться поддержкой Европейского банка реконструкции и развития (ЕБРР)?

2) В каких целях должны использовать помощь ЕБРР эти государства?

«Государство будет пользоваться поддержкой Европейского банка реконструкции и развития (ЕБРР)», — заявил в воскресенье в передаче радио «Европа-1» президент этого банка. По его мнению, тремя приоритетными секторами оказания помощи любому государству будут: техническое содействие в учреждении недостающих структур законодательной и правовой системы, соответствующая помощь для развития инфраструктур законодательной и правовой системы, соответствующая помощь для развития инфраструктур в области распределения, телекоммуникаций и энергии, необходимых для рыночной экономики, и содействие частному сектору с помощью западных предприятий, когда реформы получат достаточное развитие.

31. *Прочитайте предложения. Произведите синонимичную замену глагола* **использовать** *на глагол* **пользоваться/воспользоваться** *в тех случаях, где это возможно. Объясните, в каких предложениях замену произвести нельзя и почему.*

1) Правительство хотело использовать полученные деньги для повышения жизненного уровня населения. 2) В разных странах немало таких политиков, которые хотели бы использовать экономические трудности для прихода к власти. 3) Некоторые политики, преследуя свои узкопартийные интересы, беззастенчиво используют деньги различных компаний. 4) Уже первые рукописные газеты использовали для информирования всех слоёв общества о событиях политической и экономической жизни, о торговле. 5) Есть учёные, которые призывают больше использовать нетрадиционные источники энергии (ветер, малые реки, гейзеры, Солнце). 6) Очень важно использовать переговоры для преодоления застоя в экономических отношениях двух государств и налаживания торговых контактов.

32. *Произведите синонимичную замену выделенных глаголов на глаголы* **использовать, пользоваться**.

1) Предложение о создании Центра срочной экологической помощи **получило всеобщую поддержку**. 2) По программе действий в масштабе планеты предусматривается к концу столетия прекратить **потреблять вещества, разрушающие озоновый слой**. 3) Эта фирма **получила всемирную известность** благодаря своей продукции. 4) В радиовещании не всегда эффективно **эксплуатируются остродефицитные частотные каналы**. 5) Средства массовой информации

служат повышению экономического образования и политической активности масс.

33. *Составьте предложения, используя данные слова и словосочетания и глаголы* **пользоваться** *или* **использовать**.

1) В цивилизованном мире...	отлаженная система подбора кадров.	
2) Необходимо...	таможенный тариф...	защита внутреннего рынка.
3) Этот самолёт...	дальние рейсы.	
4) Эта фирма работает со множеством клиентов...	большое количество компьютеров и другой оргтехники.	
5) Эти машины...	большой спрос...	мировой рынок.
6) Создавать совместные предприятия следует с теми, кто...	ваше доверие.	

С р а в н и т е два предложения. Не смешивайте глагол **пользоваться** с глаголом **использовать** в пассивном значении. **!**

Диктофон обычно **используется** журналистами для записи интервью.	Для записи интервью журналисты обычно **пользуются** диктофоном.

34. *Произведите там, где возможно, синонимичную замену глагола* **использоваться** *на глагол* **пользоваться**.

1) Для решения экономических проблем всё чаще используются многосторонние переговоры. 2) Президент заверил, что принятый закон будет использоваться только во имя и на благо народа. 3) Нестабильность, неопределённость, которая сложилась в стране, используется оппозицией в своих целях. 4) Для того чтобы получить полную информацию о событиях, учёными двух государств должны лучше использоваться архивы. 5) Во время переговоров речь шла о том, что ещё не все возможности экономического сотрудничества используются двумя соседними государствами. 6) Для получения прибыли бизнесменами часто используются самые разные методы.

35. *Произведите синонимичную замену глагола* **применять/применить** *на глагол* **использовать**.

1) В промышленности применяют опасные технологии, которые загрязняют воздух, воду, почву и т.д. 2) Опыт, приобретённый банками, может быть применён и при реализации бюджетных программ российского правительства. 3) При составлении электронной бизнес-карты землепользования учёные применили оригинальную методику, которая использует данные аэрокосмической съёмки.

IV. выставка
    салон
    экспозиция
    стенд

экспозиция | разместится / разместилась | на *какой* площади

подготовить экспозицию — подготовка экспозиции

    смотр *чего*   образец/образцы *чего*

36. *Обратите внимание на употребление выделенных слов и словосочетаний. Объясните, как вы поняли, с какой целью организуют выставки (салоны)?*

А. Авиасалон в Жуковском ждёт до 100 тысяч посетителей в день

Очередной Международный авиационно-космический **салон** проходил с 17 по 22 августа в подмосковном городе Жуковский.

Как сообщили в аппарате российского правительства, авиасалону придаётся колоссальное значение. Министерство обороны обеспечивает участие пилотажных групп ВВС в демонстрационных полётах.

Б. С 5 по 9 июля в «Экспоцентре» на Красной Пресне проходила международная **выставка** товаров народного потребления «Быт и мода».

«Быт и мода» — летний вариант крупнейшей в России международной ярмарки «Консумэкспо», проводимой «Экспоцентром» ежегодно в зимний период. **Оба смотра** в значительной степени способствуют наполнению рынка России потребительскими товарами высокого качества.

В салонах «Стиль», «Красота и здоровье», «Уют и комфорт» посетители познакомились **с** лучшими **образцами** современной продукции.

В. С 20-го по 23-е июля в «Экспоцентре» на Красной Пресне будет работать международная выставка «Мир стекла». **Экспозиция разместится на площади** 3500 кв. м.

Организаторы, решив собрать тех, кто заинтересован в развитии стекольного дела на основе современных технологий и технических средств, в обмене опытом, налаживании творческого коммерческого сотрудничества между производителями и потребителями стекла, рассчитывают, что проведение форума будет способствовать дальнейшему развитию отечественного рынка, возрождению славных традиций российского стеклоделия.

В рамках выставки специалисты и посетители смогут ознакомиться с последними достижениями. как отечественных, так и зарубежных производителей стеклопродукции высокого класса.

37. Прочитайте корреспонденцию. Выполните послетекстовые задания.

Российская премьера в Каннах

(Россия приняла участие в Каннской
международной выставке недвижимости — MIPIM)

Ежегодно, в марте, более 5 тыс. специалистов по недвижимости более чем из 40 стран собираются в Каннах, чтобы принять участие в MIPIM. Выставка проводится уже более 30 лет, и с её помощью многие участники решили проблемы спроса и предложения на международном уровне. Выставка позволяет привлечь инвестиции, купить или продать уже готовые объекты.

Главная новость этого года — участие российских представителей: правительства Москвы и коммерческих структур, объединивших свои усилия и в сжатые сроки подготовивших обширную экспозицию. Она представляет собой стенд площадью 170 кв. м с несколькими десятками проектов, различающихся масштабом, технико-экономическими показателями, назначением, схемами финансирования.

Однако, приобретая московскую недвижимость или инвестируя в неё немалые средства, зарубежный владелец (инвестор, архитектор, строитель) вправе требовать гарантий от тех, кто формирует законодательную, налоговую базу в регионе.

— Мы лишь сейчас решили участвовать в MIPIM, потому что только в 1994 году московским правительством была сформирована нормативная база, найдены механизмы регулирования земельных и имущественных отношений, а значит, и появились условия для привлечения инвестиций, — говорит один из членов Оргкомитета по подготовке московской экспозиции. Столичные власти уверенно заявляют: рынок недвижимости приобретает вполне цивилизованный вид, первичный рынок почти отлажен, вторичный складывается в настоящее время.

а) Ответьте на вопросы.

1) Почему выставка в Каннах пользуется успехом во всём мире?

2) Для каких целей используют выставку?

б) Закончите предложения, используя материал корреспонденции:

1) Представители 40 стран собираются в Каннах, чтобы ... .

2) Представители Москвы приехали в Канны, чтобы ... .

3) Москва начала участвовать в выставке только с 1995 года, потому что ... .

4) Зарубежный владелец вправе требовать гарантий от правительства, потому что ... .

5) Зарубежный инвестор будет вкладывать средства в московскую недвижимость, если ... .

6) Инвестиции принесут пользу, если ... .

7) Первичный рынок почти отлажен, а вторичный складывается, несмотря на то что ... .

8) Стенд правительства Москвы и коммерческих структур пользовался вниманием, несмотря на то что ... .

38. *По материалам свежих номеров газет подготовьте сообщение о том, как:*

— развиваются события на Московской бирже;

— как, по вашему мнению, развивается экономика в России;

— какие экономические процессы идут в вашей стране;

— как складываются экономические отношения вашей страны с Россией;

— кто является основным экономическим партнёром вашей страны.

РЕКЛАМА

рекламодатель
рекламщик
рекламист
социальная реклама

| **реклама** | потребительских товаров | потребитель |
| | массовых услуг | услуги |

| **размещать** | | |
| **поместить** | рекламу *где* | размещение рекламы *где* |

рекламный	фильм, ролик, блок; отдел; гигант; мир; призыв, совет...
рекламная	деятельность, политика; площадь; пауза; продажа, фирма, кампания...
рекламное	агентство, издание, дело, обращение...

1. Прочитайте корреспонденцию. Обратите внимание на значение выделенных слов. Объясните, как вы поняли, с какой целью используется реклама?

«Рекламный мир» стал международным

Реклама прочно вошла в нашу жизнь. Высказывания о ней очень противоречивы. Иногда она раздражает, появляясь посреди любимой теле- или радиопередачи, бросаясь в глаза повсюду — на улице, в транспорте, в различных заведениях. Услышать что-либо лестное о рекламе — большая редкость, даже от тех, кто в ней работает. В основном негативные отклики относятся даже не к самому факту существования рекламы, а к «засилью» этой рекламы в нашей жизни. Но как бы мы ни относились к этому явлению, без него наше общество уже не может существовать.

Если производителя лишить такой эффективной связи с потребителем, какой является реклама, то он перестанет вкладывать деньги в совершенствование старых и создание новых товаров. При правильной организации реклама очень эффективна и способствует быстрой бесперебойной реализации производимой продукции. Но для того, чтобы реклама работала, нужно разработать стратегию **рекламной кампа-**

нии. Зарубежный опыт давно уже показал, насколько велико значение разработки **рекламной кампании** как одного из средств стимулирования продаж и создания имиджа фирмы.

Большой популярностью у **рекламодателей** пользуется телевизионная реклама. Телевизионные объявления включают в себя изображения, звук, движение, цвет и поэтому оказывают на аудиторию значительно большее воздействие, чем объявления в других средствах массовой информации.

Реклама на телевидении становится всё более интересной, информативной и вместе с тем сложной и дорогостоящей в производстве.

Недостаток телерекламы в том, что во время её трансляции внимание потребителя должно быть сосредоточено на экране, в ином случае **рекламное обращение** не будет воспринято.

Чтобы реклама была эффективной, необходимо иметь в виду следующее:

— главное — интересная подача материала (зритель запоминает в первую очередь то, что видит, а не то, что слышит);

— изображение должно быть чётким и ясным;

— необходимо привлечь внимание зрителя в первые пять секунд, иначе интерес пропадёт;

— телепрограмму лучше построить так, чтобы она не заставляла думать, а помогала сразу воспринять её суть;

— сюжет лучше построить не вокруг рекламируемого товара, а вокруг человека, пользующегося им;

— не надо многословия — каждое слово должно работать.

Исследования показывают: те, кто соблюдает эти правила, добиваются наибольшего успеха в своей деятельности.

2. *Прочитайте три корреспонденции. Сравните их заголовки. Можно ли по ним определить, о чём пойдёт речь в этих сообщениях?*

А. Подписан кодекс «рекламной чести»

«Вся реклама должна быть законной, пристойной, честной и правдивой» — таков один из принципов Международного кодекса рекламной деятельности, церемония подписания которого состоялась в понедельник в Торгово-промышленной палате (ТПП) РФ.

Кодекс Международной торговой палаты стал инструментом саморегулирования рекламы в 17 странах Европы. В ряде государств на основе этого документа приняты национальные кодексы. С момента принятия в 1937 году его положения неоднократно уточнялись. Пять из 19 статей посвящены ответственности как рекламодателя, так и публикующей стороны. Разработаны и нормы для этой продукции, адресованной детям.

«Кодекс о рекламе в международных деловых кругах является самым исполняемым», — отметил президент ТПП РФ. Документ свидетельствует, что все, имеющие отношение к рекламе, признают свою ответственность перед потребителем и обществом. Его подписание — дело добровольное. На церемонии документ завизировали присутствующие руководители российских рекламных агентств и главные редакторы газет.

Одобрение Международного кодекса рекламной деятельности станет делом чести и для всех других российских организаций, связанных с этой сферой услуг.

«В Государственной думе продолжается доработка Закона о рекламе», — сообщил заместитель председателя Комитета по экономической политике. Подписание Международного кодекса не станет альтернативой принятию закона, а дополнит его. Во многих странах кодекс используется судами как справочный документ в рамках соответствующего законодательства.

Б. Семь главных недостатков тех, кто продаёт рекламу

Французская консультационная фирма L'Alter Media, специализирующаяся на маркетинге прессы, опросила 10 директоров рекламных агентств, 10 медиа-байеров (фирм, скупающих рекламные площади) и 10 рекламодателей. Им был задан вопрос, что они думают о сотрудниках рекламных отделов газет, с которыми им приходилось иметь дело. Критические выводы, сделанные в ходе исследования, выглядят следующим образом.

Опрошенные отметили:

• Недостаточный профессионализм — плохое знание собственного издания и нежелание понимать клиента.

• Отсутствие навыков в общении — сотрудники невнимательно слушают клиентов, ведут себя агрессивно.

• Проявляют слишком мало вдохновения и энтузиазма.

• Неспособны к долгосрочному видению — даже если в настоящее время нет денег на приобретение их площади, они должны знать, как «раскрутить» долгосрочный контракт.

• Обладают плохой «коммуникационной культурой» в среде рекламных представителей газет. Они более заинтересованы в продажах по полосе «здесь и там», чем в формировании разумной стратегии рекламных продаж.

• Часто рекламный представитель назначает встречи для того, чтобы угодить начальству, и действует, как коммивояжёр.

• И, наконец, у них слабые торговые мотивы — аргументы, которые не сообщают ничего нового или просто плохо составлены. Зачастую они приводят цифры, которые покупатель может найти сам или получить их из других источников.

В. Фразы на качелях

Рекламист — профессия уважаемая. Мэтры этого дела за рубежом убеждены, что она — разновидность литературного творчества, а стремление к языковому совершенствованию профессиональных рекламистов сродни кропотливому труду Флобера или Хемингуэя.

Правда, тексты, которые слышат россияне по радио и ТВ, чаще всего не шедевры. Кажется, об этом догадываются и сами рекламодатели.

Однако редкий рекламодатель заглядывает в «кухню» рекламного дела. Не вдаваясь в подробности, ибо они неисчерпаемы, хотим предложить вниманию читателей известные среди специалистов восемь правил для рекламистов, сформулированных патриархом этого дела американцем Лоу Редмондом:

• Будь ясным.

• Не щеголяй пошлым остроумием.

• Будоражь читателя свежим словом.

• Пиши ритмично, читай написанное вслух: фразы должны раскачиваться, как качели.

• Не кокетничай — лучше очаровывай.

• Будь оптимистом.

- Не забывай о вкусе и достоинстве.
- Уважай читателя. Не считай, что он глупее тебя.

Воспользуйтесь этими советами, когда станете принимать готовую продукцию у рекламной фирмы. Как известно, хорошей рекламой считается та, которую вы сами считаете хорошей...

Д. Крамаренко.

а) Выделите в корреспонденциях основную информацию, ради которой они написаны. Что объединяет эти корреспонденции? Скажите ваше мнение, как следует писать рекламные материалы.

б) Найдите в корреспонденциях элементы официально-деловой, разговорной речи. Как вы думаете, с какой целью авторы их употребляют?

в) Как вы думаете, почему авторы именно так назвали свои материалы? Предложите свои заголовки.

3. Прочитайте два отчёта о прошедших конкурсах. Сравните их заголовки. Можно ли по ним определить, о чём пойдёт речь в отчётах? Выполните послетекстовые задания.

А. Неигровое кино может выжить

Во вторник в Российско-американском пресс-центре прошло награждение дипломами лауреатов телевизионного конкурса «Новые времена», организованного институтом «Открытое общество» совместно с «Интерньюс».

Конкурс проводился по двум номинациям: документальный фильм и социальная реклама. Из 132 претендовавших на победу сценариев лучшими были признаны 23: 19 — в жанре документального кино, 4 — по номинациям социальной рекламы. Институт «Открытое общество» выделил выигравшим конкурс авторам 270 тыс. долларов США на производство фильмов и роликов. Правда, с единственным условием: творческие коллективы должны приступить к съёмкам немедленно и завершить работу к 30 сентября этого года.

Причины проведения конкурса пояснил директор программы «Средства массовой информации» института «Открытое общество». По его словам, жанр кинодокументалистики, столь популярный и развитый прежде в России, постепенно погибает при коммерциализации телевидения. Без помощи этот вид киноискусства может вообще исчезнуть с российского экрана, а социальная реклама — относительно новый на российском телеэкране жанр, им пока трудно заинтересовать спонсоров. Так что цель конкурса — привлечь к нему внимание, заинтересовать авторов в создании клипов, разъясняющих людям их гражданские права, напоминающих о духовных и нравственных ценностях.

Также директор заверил, что новые произведения обязательно дойдут до зрителя. Уже есть договорённость о показе новых документальных лент по региональному телевидению. Ведутся переговоры и с центральными российскими телеканалами.

Б. Танец на барабане

Сегодня мой текст как никогда соответствует рубрике: я побывал на заморском пиру. Коллеги из словенского журнала «Маркетинг мэгазин» пригласили главреда «Рекламного мира» и меня на свой медиасейм. Рекламы было много. Маленькая Словения, конечно, несравнима с рекламными гигантами вроде Германии или Италии. Но, как говорил Чехов (давайте его чуть-чуть перефразируем): наличие в рекламе больших собак не должно смущать маленьких — каждая лает своим голосом.

Мой телевизор в люблянской гостинице ловил 26 программ. Разумеется, надолго сосредоточиться можно было только на каком-нибудь ужастике или порнухе, а так пульт постоянно был в руке. Ох и насмотрелся я роликов! Итальянские, немецкие, австрийские, французские каналы дали богатую пищу для размышлений.

Разумеется, я не буду пересказывать сюжеты рекламных фильмов. Особых потрясений нет.

Вообще складывалось впечатление, что смотришь непрекращающуюся рекламную паузу, главная задача которой — продать. Сейчас, когда первый канал решает, какой же будет его рекламная политика, не худо бы обратиться к европейскому опыту. И нечего ссылаться на специфический «русский менталитет»! Везде телезрители не любят, если рекламы слишком много, а мне попадались просто немыслимо длинные рекламные блоки. И везде одобряют, если ролики остроумны, неожиданны по идее и сложны по исполнению.

Кстати, словенским телевизионщикам и рекламщикам приходится куда как труднее, чем нашим: они работают в жесточайшей конкуренции.

Если учесть, что бо́льшая часть двухмиллионного населения худо-бедно понимает один из ведущих европейских языков, естественно, завоевать внимание потенциальных зрителей и потребителей очень сложно. Хотя тот факт, что я угорелым зайцем скакал по всем каналам, говорит о многом.

В маленькой Словении придумали интереснейший международный фестиваль рекламы «Золотой барабан». Интересен он тем, что представляет творческий потенциал «новой Европы». Новая Европа — это мы с вами и бывшие социалистические страны. В октябре в курортном городке Порторож «Золотой барабан» пройдёт во второй раз. На предыдущем фестивале там отличился наш Юрий Грымов, его ролик получил главный приз. В этом году русских ждут с неменьшим ажиотажем, тем более что главред «Рекламного мира» показал на люблянском сейме последние работы ведущих отечественных режиссёров. Краснеть не пришлось. Уверен, один из них осенью станцует на барабане.

(Влад Васюхин)

а) Как вы думаете, присутствовали или нет авторы на этих конкурсах. Какие детали в их описании свидетельствуют, что журналист там присутствовал?

б) Найдите элементы разговорной речи (и даже арго). Как вы думаете, с какой целью автор их употребляет.

в) Почему авторы именно так назвали свои отчёты? Каким должен быть заголовок? Дайте свои заголовки. Можно ли сказать, что заголовок — это тоже реклама газетного материала?

г) Какой отчёт показался вам более интересным, более информативным? Как следует писать подобные отчёты?

4. *Прочитайте три газетных материала. Скажите, что их объединяет? Выполните послетекстовые задания.*

А. Готовь шубу весной?

В середине апреля (!) в московском метро появился плакатик — «Мне нужна шуба!» Большого эффекта эта реклама, по-видимому, не дала. Был нарушен принцип временного планирования. Оно может быть сезонным, как в случае с шубой или со строительными материалами. Планы во времени могут и должны быть ориентированы на график поступления товаров на склад, за прилавок. При планировании рекламы потребительских товаров и массовых услуг неплохо учесть и сроки выдачи заработной платы на большинстве предприятий региона, приурочить размещение рекламы к массовой раздаче премиальных.

Фирме «МКС» довелось проводить кампанию по внедрению русского издания журнала «Ридерз дайджест». Особым требованием американских заказчиков-рекламодателей было соблюдение сроков проведения всех мероприятий, которые были расписаны с точностью до одного дня. Перед аналитиками не стоял вопрос: а что, если цель не будет достигнута. Следовало рассчитать, насколько дороже обойдётся её достижение в случае нарушения сроков размещения той или иной рекламы. Как это ни удивительно нам, привыкшим к «корректировке» планов, при изменении срока на 3 дня затраты возрастали в 3 раза. Тогда всё обошлось без дополнительных расходов, и «Ридерз дайджест» остаётся одним из немногих успешных российско-американских издательских проектов.

Б. Совсем невкусно

Реклама конфет московских кондитерских фабрик за действительно неплохой слоган «вкус, знакомый с детства» часто отмечается специалистами среди лучших печатных объявлений.

И это правильно. Но еженедельная «Комсомольская правда» поместила «вкусное» предложение под вызывающим брезгливую дрожь материалом о венерических заболеваниях среди несовершеннолетних. Что это? Неуклюжий контрапункт? Детки, вам ещё рано заниматься сексом, кушайте конфетки! Скорее — недосмотр редакции.

В теории рекламы есть понятие «дружественная редакционная среда». Следуя теоретическим принципам, грамотный рекламодатель стремится поместить свою рекламу в изданиях и программах, по меньшей мере ни словом, ни духом не противоречащих объявлению. Желательно, чтобы статьи или передачи, рядом с которыми идёт реклама, были позитивными. Рекламодатель или агентство за этим проследить, как правило, не могут. Процесс — на совести издателя и вещателя.

В. Коленки как средство от стресса

Поистине мудр рекламодатель, размещающий свою рекламу в метро. Никакая самая популярная газета и телепередача не дадут такой железной гарантии, что ваш рекламный призыв запомнят, как вагон подземки. Особенно в час пик, когда облепленный толпой пассажир вынужден смотреть в одну точку и... видеть там вашу рекламу.

В метро она не выглядит наглой приживалкой, как это бывает на телевидении, в прессе, на улицах. Она ни у кого не отнимает ни времени, ни пространства. Но ещё более важное достоинство вагонной рекламы — это воспитание и просвещение широких народных масс. Они, часто довольно долгое время пребывая в статичном положении — сидячем или стоячем, имеют возможность читать её, изучать, любоваться ею.

Реклама отвлекает от склоки, скандала, снимает нервозность, прививает хорошие манеры. Чем занимается одинокий человек в вагоне, если не дремлет и не читает? В лучшем случае пребывает в лёгкой прострации. Но чаще беззастенчиво разглядывает своих «визави», а уж если окажется в вагоне экзотическая компания или красивые женские коленки, разворот взглядов в их сторону обеспечен. Исправить положение способна только реклама. Коленки? Пожалуйста! Смотрите рекламу «Данэ» (такие ножки — не оторваться!), и вам не придётся смущать взглядом хорошенькую попутчицу в мини-юбке.

Реклама никогда не грубит. Она разговаривает с пассажирами учтивой и бодрой интонацией. С доверием и заботой. Надо лечиться... Надо пользоваться банковскими услугами...

А сколько полезных слов! «Гарантия», «компетентность», «элитарный», «эффективный», даже «синдром»... И новых терминов: «мультимедиа», «плоттер», «сканер», «стример»... А какой простор для походных родительских уроков «спрашивай — отвечаю»!

А вот последует ли помятый пассажир, освободившись из метро, вашим рекламным советам — этого никто не знает. Иногда даже он сам.

а) Приведите пример удачной и неудачной, по вашему мнению, рекламы. Аргументируйте свой выбор.

б) Как вы считаете, когда и где должна быть размещена реклама, чтобы она была эффективной.

в) Какие газетные материалы более действенны: те, в которых чётко указано, когда, где должна быть размещена реклама, какие по-

тери будут в случае нарушения места и сроков её размещения или написанные с иронией?

5. *Как вы относитесь к рекламе? Согласны ли вы с утверждением: «Возможность размещать рекламные объявления в наиболее популярных программах — это важнейший инструмент, пользуясь которым фирмы продвигают свои товары, увеличивают оборот, наращивают производство, а значит, создают новые рабочие места».*

6. *Скажите, как поставлена реклама в вашей стране. Как к ней относятся люди?*

7. *Прочитайте образцы рекламы. Какая реклама более удачна? Аргументируйте свой выбор. Предложите свой вариант рекламы.*

Курсы МИД
Лицензия Г №001029
Код — Н Серия СЛОД
**АНГЛИЙСКИЙ,
ФРАНЦУЗСКИЙ,
НЕМЕЦКИЙ,
ИТАЛЬЯНСКИЙ**
по методике
МГИМО(У) МИД РФ
Все уровни.
Принимаются взрослые и дети с 9 лет.
Цена от 325 у.е.
Учебный год для школьников
по программе спецшкол
— 575 у.е.
Программа для подготовки
к вступительным экзаменам
в ВУЗы — 620 у.е.
Утро, день, вечер.
Ст. м. «Красные ворота», «Тверская»
926-0272, 926-0336, 926-0377

ТЕЛЕКОМ

Вы решили приобрести сотовый телефон на лето для дачи, для продвижения своего бизнеса или просто для того, чтобы всегда быть на связи. На развитом рынке сотовой связи немудрено заблудиться в разнообразии моделей, тарифных планов и, конечно, цен. Как часто бывает, вы звоните, узнаёте цену, приезжаете и Вас ждёт «сюрприз» — сумма контракта отличается от того, что Вам обещали. **И только у нас Вам скажут конечную стоимость, с учётом всех налогов, причём, как показывает практика, наша цена оказывается в среднем на 20 % ниже.** Такой результат достигнут благодаря тщательному подбору партнёров, высокой квалификации персонала и понимаю конъюнктуры рынка — нам не надо тратить деньги на дорогую рекламу, один раз сделав покупку, нас советуют друзьям. Постоянно в наличии весь модельный ряд от самых недорогих до аппаратов бизнес-класса. Не стоит искать дешевле! **Тел. 369-06-45. Б. Семёновская, д.32. Ежедневно с 10 до 20 ч., без обеда и выходных.**

ЖАНРЫ

- ◆ ОФИЦИАЛЬНО-ИНФОРМАЦИОННОЕ СООБЩЕНИЕ

- ◆ КОРРЕСПОНДЕНЦИЯ

- ◆ ИНТЕРВЬЮ

- ◆ СТАТЬЯ

- ◆ РЕЦЕНЗИЯ

- ◆ РЕПОРТАЖ

- ◆ ОЧЕРК

ОФИЦИАЛЬНО-ИНФОРМАЦИОННОЕ СООБЩЕНИЕ

Основной официально-информационный жанр — это и н ф о р м а ц и о н н а я з а м е т к а. Это может быть хроникальное сообщение (одна, несколько фраз), короткая информация (10–30 газетных строк, с подписью автора), расширенная заметка (с подробностями).

Заметка информирует читателя о важном факте, событии общественной жизни — внутренней и международной. Так как основная задача информатора дать максимум фактологической информации на ограниченном пространстве, характерной особенностью этого жанра является сжатость.

Основное достоинство заметки — оперативность. Читая её, мы узнаём о недавно происшедшем, а также о том, что произойдёт в ближайшее время. Содержание заметки составляет завершённое событие или какой-либо момент (начало, развитие, окончание). Заметка сообщает, КОГДА, ГДЕ, ЧТО произошло, в ней могут быть указаны цель, причина, результат данного события. Анализ события отсутствует.

Для передачи сообщений существует определённая система из языковых элементов. Характерным для информационных сообщений является употребление предикативных сочетаний с полуслужебными глаголами, отглагольных существительных, согласованных и несогласованных определений. Когда субъект действия не является важным, используются безличные или пассивные конструкции.

Модель информационной заметки (информационного сообщения)

в связи с чем	в соответствии с планом межпарламентских связей
когда	15 января
куда	во Францию
с какой целью	для знакомства с работой французского парламента
что произошло	отбыла делегация Государственной думы во главе с председателем Думы

Предтекстовые задания к информационным сообщениям

1. *Составьте словосочетания с данными глаголами и существительными (употребив существительное в нужной форме). Составьте с полученными словосочетаниями предложения.*

А.	разрабатывать/разработать *что*	документы
	создавать/создать *что*	рынок
	учреждать/учредить *что*	*какое* сообщество
Б.	проводить/провести *что*	забастовка
		стачка
	увольнять/уволить *кого*	работник
		нефтяник
	улучшать/улучшить *что*	условия труда
	поднимать/поднять *что*	уровень *чего*
	обеспечивать/обеспечить *что*	безопасность *кого-чего*
В.	объявлять *о чём*	реформы
	либерализовать *что*	экономика
	снимать/снять *что*	ограничения (*мн.*) *на что*
	сокращать/сократить *что*	*какой* аппарат
	уреза́ть/уре́зать *что*	субсидии (*мн.*) *кому*
	отменять/отменить *что*	контроль *над чем*
	сохранять/сохранить *что*	контроль *над чем*
	защищать/защитить *кого-что*	население
Г.	исполнять *что*	свои обязанности
	обвинять/обвинить *кого в чём*	шпионаж
	протестовать *против чего*	казнь (*ж.*)
Д.	заключать/заключить *что*	соглашение
	излагать/изложить *что*	точка зрения *на что*
	приходить/прийти *к чему*	соглашение
	приступать/приступить *к чему*	работа *над чем*
	вырабатывать/выработать *что*	формулировка *чего*
	возглавлять/возглавить *что*	делегация

2. *Обратите внимание на разницу в употреблении глаголов, близких по значению. Какой из них можно употребить вместо другого?*

учреждать сообщество — создать рынок

улучшать условия *чего* — поднимать уровень *чего*

сокращать аппарат — урезать субсидии

снимать ограничения — отменять контроль

заключать соглашение — приходить к соглашению

3. *Прочитайте информационные сообщения. Передайте их содержание по модели (см. с. 155).*

А. Заседание общего комитета Организации африканского единства (ОАЕ) по разработке документов об учреждении Африканского экономического сообщества проходит в эфиопской столице. В странах Чёрного континента некоторое время назад пришли к убеждению, что создание подобного «общего рынка» в регионе поможет борьбе с нищетой и социально-экономическому развитию стран континента.

Образец.

когда	в настоящее время (сейчас)
где	в эфиопской столице
что происходит	проходит заседание общего комитета ОАЕ
с какой целью	разрабатываются документы об учреждении Африканского экономического сообщества
в связи с чем	создание подобного «общего рынка» в регионе поможет борьбе с нищетой и социально-экономическому развитию стран континента

Б. Крупнейшую за последние 25 лет забастовку провели в воскресенье работники нефтяных месторождений в Северном море. В стачке приняли участие около шести тысяч рабочих. Она проводилась в знак протеста против объявленного компанией увольнения тысячи нефтяников, принявших участие на прошлой неделе в однодневной забастовке с требованием улучшить условия труда и поднять уровень обеспечения безопасности.

В. Правительство страны объявило о серии реформ, направленных на либерализацию экономики. Снимается ряд ограничений во внешней торговле. Сокращается бюрократический аппарат, который за десять лет независимости увеличился втрое. Урезаются субсидии государственным предприятиям. Отменяется контроль над ценами. Он сохранится только на основные продукты питания, чтобы защитить наименее обеспеченные слои населения.

Г. Опасная профессия

Сорок три журналиста погибли в мире за год при исполнении своих обязанностей. Таковы данные американской исследовательской организации «Фридом-хаус». Семь журналистов были убиты во время бурного политического кризиса на Филиппинах, шестеро стали жертвами колумбийской наркомафии. Британский репортёр Фарзад Базофт, обвинённый багдадским правительством в шпионаже, был казнён через повешение, несмотря на международные протесты...

4. Прочитайте информационное сообщение. Сократите его за счёт предложений и слов, не несущих, по вашему мнению, основной информации.

Д. Второй раунд переговоров

В штаб-квартире Европейского союза (ЕС) сегодня начался второй раунд переговоров о заключении соглашения о торговле и экономическом сотрудничестве между ЕС и Россией.

В ходе первого раунда, состоявшегося в июле этого года, делегации изложили свои точки зрения на структуру и содержание соглашения, которое должно стать наиболее широким из всех когда-либо заключавшихся прежде. Ожидается, что во время второго раунда стороны смогут приступить к выработке конкретных формулировок будущего документа.

Российскую делегацию возглавляет заместитель председателя государственной внешне-экономической комиссии правительства РФ, делегацию Комиссии европейских сообществ — заместитель генерального директора главного управления по внешним связям.

Послетекстовые задания к информационным сообщениям

5. Тест № 1.

1) Основное достоинство заметки — ... .   А. описательность

Б. оперативность

В. информативность

2) **Б.** Информационное сообщение посвящено ... .

  А. переговорам профсоюзов
  Б. сотрудничеству компаний
  В. забастовке нефтяников

3) **В.** Темой информационного сообщения является ... .

  А. экономические реформы
  Б. культурная программа
  В. политическая обстановка в стране

4) **Г.** Журналисты погибают ... .

  А. во время исполнения своих обязанностей
  Б. во время военных действий
  В. в бандитских разборках

5) **Д.** В ходе переговоров были обсуждены ... проблемы.

  А. политические
  Б. культурные
  В. торговые

Матрица для ответов к тесту № 1.

  1. А Б В
  2. А Б В
  3. А Б В
  4. А Б В
  5. А Б В

6. *Ответьте на вопросы, используя данные слова и словосочетания.*

а) Какие вопросы обсуждались на заседании общего комитета ОАЕ?

разработка *каких* документов
учреждение *какого* сообщества
создание *какого* рынка

    Ц е л ь о б с у ж д е н и я

б) Какие требования выдвигали забастовщики?

Забастовщики выступали	*за что* *против чего*
увольнение с работы восстановление на работе	рабочих

ухудшение улучшение	условий труда

снижение	
поднятие	уровня обеспечения безопасности

Ц е л ь   з а б а с т о в к и

в) Какие реформы проводит правительство?

либерализовать

снимать — вводить

сокращать — увеличивать

урезать — получать

отменять	
сохранять	— осуществлять

Ц е л ь   р е ф о р м

7. *Составьте сообщение по модели (с. 155), используя данные слова и словосочетания.*

а) 15 августа, Нью-Йорк, заседание Совета Безопасности ООН, обострение вооружённого конфликта в Афганистане, оказание помощи беженцам.

б) 4 июля, Владивосток, врачи «Скорой помощи», бессрочная забастовка, задержка зарплаты, полное удовлетворение их требований.

8. *По материалам свежих номеров газет подготовьте информационные сообщения о текущих актуальных событиях.*

КОРРЕСПОНДЕНЦИЯ

К о р р е с п о н д е н ц и я наиболее распространённый аналитический жанр. В корреспонденции автор не только информирует читателя о важном факте, текущем событии общественной жизни (как в информационной заметке), но и даёт оценку событию, ищет решение проблемы, прибегая к аргументации, анализу фактов. Даётся чёткая авторская позиция.

Используются, как правило, те же языковые элементы, что и в информационной заметке.

Важную роль играет заголовок. Он обычно представляет собой тезис в свёрнутой форме («В будущее — с надеждой», «Достигнутое согласие») или предложение («Робот оперирует сердце»). Иногда корреспонденция бывает ответом на вопрос, который автор выносит в её название («Ложная тревога или провокация?»).

В первом абзаце, как правило, содержится основная информация, которая конкретизирует и развёртывает заголовок. А дальше идёт анализ причин или обобщение фактов, вызвавших событие, о котором сообщается в первой части корреспонденции.

Возможна и другая композиция корреспонденции.

Предтекстовые задания к корреспонденциям

1. Составьте словосочетания с данными существительными (употребив второе существительное в нужной форме).

А. обеспечение   стабильный экономический рост
        повышение   инвестиционная привлекательность России
                      безопасность *чего*
        усиление   контроль *за чем*
        отмена   дискриминационные меры

Б. учёт   *какой* опыт
        проведение   согласованные действия
        укрепление   банковская система
        согласование финансовые стандарты
        создание   Международный финансовый центр

В. а) заслуживать *чего*   внимание
        препятствовать *чему*   проведение *чего*
        компенсировать *что*   снижение *чего*
        исключить *что*   прибавка к жалованью
        прервать *что*   переговоры (*мн.*)
        прибегнуть *к чему*   какое средство
        обратиться *куда*   суд
        запретить *что*   забастовка
        отклонить *что*   иск
        нанести *что*   ущерб

б) намерение	провести *что*
угроза	парализовать *что*
готовность	вести диалог

2. Найдите в словаре и объясните употребление следующих словосочетаний:

а) единое мнение, одинаковое мнение, единственное мнение;

б) острый вопрос, острые споры;

в) разделять континенты, объединять людей;

г) сменить начальника, отменить полёты.

3. Прочитайте корреспонденцию. Выполните послетекстовые задания.

А. РИА Новости. Президент РФ в пятницу открыл официальную часть Петербургского международного форума, пленарное заседание которого было посвящено обеспечению глобального экономического роста.

Форум, проходивший в Санкт-Петербурге с 16 по 18 июня, был посвящен глобальной экономике, в том числе роли развивающихся стран в мире, новым технологиям и повышению инвестиционной привлекательности России.

На форуме традиционно заключались сделки в разных отраслях.

В форуме участвовало более 4-х тысяч человек, из них 221 глава зарубежных корпораций, 485 руководителей российских компаний. В форуме приняли участие шесть глав государств.

На форуме обсуждали российские предложения о повышении безопасности объектов атомной энергетики, об усилении контроля за их строительством и эксплуатацией.

РФ также поставила перед партнёрами вопрос об отмене дискриминационных мер и ограничениях, с которыми зачастую сталкиваются российские компании, претендующие на строительство в Европе новых энергетических мощностей или на поставки топлива.

Российская делегация подчёркивала, что Россия «намерена и впредь подтверждать звание стабильного и надёжного поставщика энергоресурсов, не ущемляя интересы российских компаний».

а) О каком событии идёт речь в корреспонденции? Найдите фразу, в которой содержится основная информация. Найдите комментарий к этой информации.

б) Сравните эту корреспонденцию с информационным сообщением «Второй раунд переговоров» (с. 158). Объясните разницу.

в) В заголовке говорится о событии или о выводах? Почему автор именно так назвал свою корреспонденцию? Аргументируйте своё мнение. Предложите своё название.

4. Прочитайте корреспонденцию. Озаглавьте её. Выполните послетекстовые задания.

Б. На саммите в Нижнем Новгороде планируется подробно рассмотреть международную проблематику.

В ходе саммита состоится обмен мнениями о мерах укрепления мировой финансово-экономической системы с учётом опыта, полученного в ходе последнего кризиса. Россия и ЕС, как ожидается, обсудят возможность проведения согласованных действий, оценят своевременность предпринимаемых шагов в рамках «большой восьмёрки», «большой двадцатки» и Совета по финансовой стабильности.

В Москве важным аспектом обсуждения на предстоящем саммите считают укрепление банковской системы и согласование финансовых стандартов. С этой целью как в России, так и в Евросоюзе внедряются, хотя и с разной скоростью, базельские* стандарты банковской деятельности.

Европейские коллеги на подобных форумах традиционно интересуются ситуацией в российской экономике, и президент РФ подробно расскажет об усилиях по её реформированию, а также о работе по созданию в Москве Международного финансового центра.

а) Сравните эту корреспонденцию с информационным сообщением (с. 158)

б) Сравните начало этой корреспонденции с началом предыдущей корреспонденции. Какое вам кажется более удачным? Аргументируйте своё мнение.

---

* **Базельские стандарты** – стандарты надзора за коммерческими банками (рекомедуемые, но не обязательные), содержатся в изданном в 1997 г. письме Базельского комитета по банковскому регулированию.

в) Напишите информационную заметку по модели (см. с. 155), используя материал этой корреспонденции.

5. *Прочитайте корреспонденцию. Выполните послетекстовые задания.*

В. Можно ли избежать забастовки?

Несколько профсоюзных организаций, объединяющих разных специалистов государственной авиакомпании, объявили о своём намерении провести в течение ближайших дней забастовку, которая грозит парализовать полёты внутри страны.

Заслуживают внимания причины конфликта и сам ход противоборства двух сторон, а также то, как дирекция компании и правительство пытаются препятствовать проведению забастовки.

Итак, с одной стороны, служащие авиакомпании требуют увеличения заработной платы, чтобы, по их словам, компенсировать значительное снижение уровня жизни за последние годы.

В свою очередь министерство транспорта, которому подчиняется авиакомпания, заявило в ответ, что с экономической точки зрения такая прибавка к жалованью полностью исключается. Вместе с тем министр сделал жест в сторону профсоюзов — сменил начальника генеральной дирекции гражданской авиации.

Наконец, председатель — генеральный директор компании напомнил, что его компания уже подписала соглашение с профсоюзами о повышении зарплаты — как и для всех государственных служащих — на 2,5%. Тем не менее он подчеркнул свою готовность вести диалог.

Однако диалог не получился. Никто не хотел уступать, и переговоры пришлось прервать. Тогда руководство компании прибегло к последнему средству — обратилось в суд с тем, чтобы он запретил забастовку. Напомним, что право на забастовку записано в конституции страны и является неотъемлемым правом всех граждан страны. Суд отклонил иск авиакомпании, посчитав, что *возможный ущерб* пассажирам будет незначительным.

а) Почему автор вынес вопрос в заголовок своей корреспонденции? К какому выводу он подводит читателя: Забастовки можно было избежать. — Забастовки избежать было нельзя? Аргументируйте своё мнение.

б) Определите основную информацию корреспонденции и комментарий к ней. Сравните с информационным сообщением (с. 157). Объясните разницу.

в) *Напишите две заметки, используя основную информацию корреспонденции и комментарий к ней.*

Послетекстовые задания к корреспонденциям

6. Тест № 2.

1) Важную роль в корреспонденции играет ... .

    А. анализ
    Б. заголовок
    В. информация

2) **А.** Наиболее мощное вооружение располагается ... .

    А. на суше
    Б. на море
    В. в воздухе

3) **Б.** На нашей планете всех волнуют ... .

    А. одинаковые проблемы
    Б. разные проблемы
    В. спорные проблемы

4) **В.** Забастовку хотят провести профсоюзные организации. Забастовщики требуют ... .

    А. повышения зарплаты
    Б. увеличения отпуска
    В. улучшения условий труда

Матрица к тесту № 2.

    1. А Б В
    2. А Б В
    3. А Б В
    4. А Б В

7. Закончите предложения, используя материал информаций и корреспонденций.

Участники переговоров

    обсуждают *что* ... .
    рассматривают *что* ... .
    высказывают *что* ... .
    излагают *что* ... .
    ищут *что* ... .
    спорят *о чём* ... .
    интересуются *чем* ... .
    готовят *что* ... .
    работают *над чем* ... .
    решают *что* ... .
    вырабатывают *что* ... .

Современные проблемы	волнуют *кого* ... . объединяют *кого* ... . являются *чем, какими* ... . представляют собой *что* ... . решаются *где кем когда* ... .
Забастовка	грозит + *инф.* ... . (не) нанесёт ущерб *кому* ... . является *какой* ... . продолжится *сколько времени* ... .
Забастовщики	объявили *о чём* ... . намерены + *инф.* ... . требуют *чего*, + *инф.* ... . имеют право *на что* ... .
Дирекция компании	заявила *о чём* ... . пытается + *инф.* ... . препятствует *чему* ... . готова + *инф.* ... . подписала соглашение *с кем о чём* ... . отклонила *что* ... . (не) уступала *кому* ... . обратилась в суд *с чем* ... .

8. а) *Прочитайте газетные материалы. Сравните их с предыдущими корреспонденциями. Все ли они являются корреспонденциями? Аргументируйте своё мнение. Проанализируйте язык этих материалов. Чем вызвана, по-вашему, разница в языке?*

б) *Найдите в словаре значение следующих слов:*

А. Помпезный, причудливый; позолота, раковина, гардероб, достопримечательность; блистать, почитать *кого*, пожаловать *кому что*;

Б. Прямоходящий; останки; стать ключом *к чему*;

В. Потребитель радио- и телепродукции; сопроизводитель и соучастник происходящего в эфире; СМИ — средства массовой информации.

А. Почитают Малыша Жюльена

Как вы думаете, какая из многочисленных достопримечательностей Брюсселя наиболее популярна среди местных жителей и туристов?

Помпезный, блистающий позолотой Дом короля на главной площади Гран-Пляс? Причудливый «Атомиум», который считают символом бельгийской столицы? Ничего подобного. Небольшая скульптура под названием Манекен Пис, или Малыш Жюльен, стоящая на улочке Этюв, в центре города.

Об этом говорят и газетные опросы, и личные мои наблюдения. Вокруг весёлого бронзового мальчугана, нехитрым способом наполняющего раковину старинного фонтана, всегда толпа. Смех, шутки, фотографии на память.

По традиции Малыш Жюльен весьма почитаем брюссельцами и сегодня. О нём даже сложена песенка. Она так и называется: «Кто самый уважаемый житель Брюсселя?» Мальчуган имеет несколько воинских званий, пожалованных европейскими монархами, а также богатый гардероб, где есть мундиры, соответствующие тем званиям.

Б. Самый древний предок?

Неподалёку от городка Геване, что в среднем течении реки Аваш, эфиопские археологи обнаружили древнейшие останки прямоходящего предка человека, жившего в тех местах, по предварительным исследованиям, более четырёх миллионов лет назад.

Генеральный директор эфиопского национального музея считает, что эта находка, возможно, станет ключом к решению загадки происхождения и эволюции человека.

Примечательно, что в прежние годы все самые «возрастные» останки человеческих предков были обнаружены именно на территориях трёх государств Восточной Африки — Эфиопии, Кении и Танзании, — главным образом в районах, через которые проходит Великий Африканский разлом.

В. В Женеве проходила конференция Digimedia. На этой конференции стало ясно, что эра новых средств массовой информации уже наступила. Суть изменений сформулировать легко — зритель и слушатель из пассивного потребителя радио- и телепродукции постепенно превращается в активного сопроизводителя и соучастника происходящего в эфире.

На конференции отмечалось, что пока мы все зависим от журналистов и политиков, которые или сами производят информацию для нас, или контролируют её производство. Благодаря новым технологиям мы можем стать более свободными, то есть начать сами отбирать информацию для себя.

Впервые за сто лет своего существования у средств массовой информации есть шанс в самом деле стать средством массовой коммуникации. И тем самым превратиться в один из самых мощных демократических институтов, так как на пути манипуляции общественным мнением встанут весьма серьёзные преграды.

Послетекстовые задания

9. Тест № 3.

1) **А.** Наиболее популярная достопримечательность Брюсселя ... .

А. Дом короля

Б. причудливый «Атомиум»

В. малыш Жюльен

2) **Б.** Останки человеческих предков были обнаружены на территории ... .

А. Африки

Б. Австралии

В. Южной Америки

3) **В.** СМИ производят информацию для ... .

А. широких масс

Б. политических кругов

В. профессиональных журналистов

Матрица к тесту № 3.

1. А Б В
2. А Б В
3. А Б В

10. *Выделите основную информацию в данных материалах и комментарии к ним. Как вы думаете, почему корреспонденты сообщают такие факты. Нужна ли такая информация читателям? Аргументируйте своё мнение.*

11. *К каким выводам подводят корреспонденты своих читателей? Согласны ли вы с этими выводами? Аргументируйте своё мнение.*

12. *Определите, что объединяет эти материалы. Составьте сообщение, используя общую информацию из этих материалов.*

13. а) *В свежих номерах газет найдите корреспонденцию, прокомментируйте её.*

б) *Подготовьте свою корреспонденцию об актуальном событии.*

ИНТЕРВЬЮ

И н т е р в ь ю — беседа журналиста с каким-либо лицом (или группой лиц), представляющая общественный интерес и предназначенная для опубликования или передачи по радио, телевидению.

Интервью не всегда передаётся в форме диалога, когда полностью приводятся вопросы корреспондента и ответы на них собеседника.

Часто при публикации ответы собеседника журналист или пересказывает, или воспроизводит в сокращённом виде, приводя полностью наиболее важные, интересные вопросы и ответы. Иногда журналист кратко комментирует факты, события, о которых идёт речь, даёт информацию о своём собеседнике.

**Лексические средства, используемые журналистами
для изложения беседы в сокращённом виде.**

	заявил, что		заявил		
	считает, что		подчеркнул		
	отметил, что		отметил	*что*	
	подчеркнул, что		выделяет		
	подтвердил, что		назвал		
кто	указал, что		указал *на что*		
	заметил, что				
	заверил, что				
	выразил	мнение, что	высказал свои взгляды *на что*		
		убеждение, что			
		уверенность, что			
		надежду, что			

по его мнению
по его словам
по его оценкам
отвечая на вопросы

! давать/дать **интервью** *кому*
брать/взять **интервью** *у кого*
получить **интервью** *от кого*

блиц-интервью [*нем.* blitz — *букв.* молниеносный] — короткое интервью, данное (взятое) в момент или сразу после события, о котором идёт речь;

эксклюзивное интервью [*англ.* exclusive — *букв.* исключительный] — единственное интервью, данное одной газете, одному каналу, одному журналисту.

Предтекстовые задания к интервью

1. Посмотрите в словаре значения следующих слов: **ниша, вакуум, зона, пространство.** *Определите, в каком из своих значений они употребляются в следующих словосочетаниях:* занять свободную нишу; заполнять образовавшийся вакуум чем; зоны, закрытые для гласности; иметь *что* на постсоветском пространстве.

2. Определите значение а) приставок б) суффиксов в следующих словах:

суперпопулярный;

а) сосуществовать, соответствовать, сообща, совместно, собеседование; заслуживать, заметить, затрагивать; задумывать, задумываться; отбирать, отсекать, отмереть;

б) принадлежность к русской культуре; престижность *чего*, модность *чего.*

3. Определите значение следующих словосочетаний. Обратите внимание: глаголы в них, как правило, употребляются в переносном значении.

А. затрагивать вопросы *чего*
предлагать *что* вниманию *кого*
найти *какие* подходы *к чему*
задевать интересы *кого*

строить отношения *как*

строить общий европейский дом

Б. гарантировать *какой* успех предприятия

стартовать с *каким* рейтингом

выйти на *какое* место

иметь *какую* сеть вещания *где*

иметь *какие* навыки

внедрить в жизнь *что*

заложить *во что какую* основу

создавать *какой* продукт

выполнять *какие* функции

обладать *каким* чувством

В. жертвовать принципами *ради чего*

покушаться на интересы *кого*

обрушивать *на кого* поток *чего*

обеспечить верховенство *чего*

претерпеть *какой* урон

надеть на прессу намордник

Г. соблюдать соглашение *о чём*

Д. представлять опасность *для кого-чего*

включить вопрос *о чём куда*

4. *Прочитайте следующие словосочетания. Обратите внимание: существительные употреблены в именительном падеже и являются подлежащими.*

мир и согласие царили *где*

аудитория составляет *сколько* человек

идея *чего* неистребима

тираж *чего* подскакивал *в результате чего*

5. *Запомните следующие словосочетания. Определите, в каком значении и для чего они употребляются.*

Сильные мира сего, магнат *какого* бизнеса, газетный король; влиятельные рекламодатели.

Рекламные полосы, поток рекламы *чего*; коммерческая выгода; опальное издание.

6. *Прочитайте интервью. Скажите, какова композиция этих интервью? Какова тема и цель этих бесед?*

А. «Как добрые соседи...»

Редакцию газеты посетил Чрезвычайный и Полномочный Посол ЧР в России. Его принял главный редактор газеты. В беседе затрагивались вопросы политической ситуации в обеих странах.

Блиц-интервью, взятое у Посла, предлагается вниманию читателей.

— Между нашими странами давние отношения. Каким путём, по-вашему, пойдёт дальше развитие этих связей?

— Давайте посмотрим на географическую карту. Мы всегда были и будем соседями. Для обоих государств важно жить рядом по-хорошему, мирно сосуществовать. И есть надежды, даже уверенность, что так оно и будет. Ведь политических проблем между нашими странами нет. Сейчас надо сообща решать экономические проблемы. И важно совместно найти верные подходы, даже если это иногда задевает некоторые интересы друг друга. Надо и дальше строить отношения так, чтобы они были стабильными, прочными. И, думается, с обеих сторон к тому есть добрая воля.

— Как вам работается в Москве, когда вокруг столько событий?

— Наше время — время больших перемен. Приходится очень много информации анализировать, наблюдая окружающее.

— А каким, в двух словах, видится будущее отношений наших стран с точки зрения строительства общего европейского дома?

— В этом чрезвычайно важном деле мы могли бы хорошо помогать друг другу, да и другим «жильцам» будущего здания. Хотелось бы при этом, чтобы никто в нём не ссорился, чтобы не было никакого злого «управдома». Словом, чтобы царили повсюду в Европе мир и согласие.

Б. В чём секрет успеха «Русского радио»?

Сегодня мы беседуем с генеральным продюсером «Русского радио» Сергеем Кожевниковым.

<u>Кор.</u> Сергей, расскажите, как всё начиналось, как вам и вашим партнёрам удалось создать такую популярную радиостанцию?

— «Русское радио» зазвучало в эфире 2 августа 1995 года. Тогда 90% радиоэфира было занято западной музыкой, практически все существовавшие станции принадлежали иностранным компаниям. Мы стали первой радиостанцией, осуществившей новый принцип вещания: в эфире — музыкальные произведения только на русском языке, самые свежие новости, весёлые конкурсы и игры. «Русское радио» заняло свободную нишу радиорынка, которая, как потом оказалось, гарантировала стопроцентный успех предприятия.

Наша радиостанция стартовала с рейтингом 6,3% и сразу заняла третье место в FM-эфире, а уже к осени 1997 года вышла на первое место. Сейчас «Русское радио» имеет самую широкую региональную сеть вещания на постсоветском пространстве. Ежедневная потенциальная аудитория нашего радио составляет примерно 120 миллионов человек. Нам удалось сформулировать идею национального радиовещания и внедрить её в жизнь, заложив в неё жёсткую коммерческую основу. Ведь радиостанцию с самого начала мы рассматривали не только как творческую лабораторию, но и как рыночную структуру, способную с опорой на экономические, коммерческие факторы создавать социально значимый, общественно полезный программный продукт. Цель коммерческой радиостанции — занять лидирующие позиции на выбранном секторе рынка.

Кор. «Русское радио» стало суперпопулярным. С одной стороны, его слушают все, с другой стороны, говорят, что оно попсовое. Кто же всё-таки ваша аудитория?

— Как я уже говорил, «Русское радио» — национальная радиостанция. Сейчас радиостанции в FM-диапазоне появляются как грибы после дождя. Появляются новые форматы, новые тенденции. А «Русское радио» всё равно остаётся лидером, потому что идея народного радио неистребима. По данным различных социологических исследований, главным жизненным приоритетом для жителей России является, прежде всего, принадлежность к русской культуре. А уже потом, с огромным отрывом, — желание соответствовать определённому идеалу, престижность и модность чего-либо. И результаты наших исследований показывают, что весь музыкальный материал в эфире «Русского радио» — это то, что хочет слушать и слушает народ. Наша аудитория очень разнородна, но в то же время стабильна, как, в принципе, у любой широкоформатной станции.

Кор. Какие передачи наиболее популярны?

— На «Русском радио» самые оперативные новости, это раз. Во-вторых, россияне очень любят всевозможные игры и конкурсы.

Кор. По какому принципу вы отбираете персонал, ди-джеев, менеджеров? Проводите ли с каждым личное собеседование, что спрашиваете, на что обращаете внимание в первую очередь?

— Обращаю внимание на наличие ума и на то, как человек владеет русским языком. Особенно это касается, конечно, ди-джеев. Ди-джей должен уметь правильно, грамотно, внятно говорить, иметь какие-то чисто профессиональные навыки. Быть яркой индивидуальностью, лёгким, весёлым человеком, обладать здоровым чувством юмора. Что касается менеджерского состава, то, конечно, стараемся найти лучших специалистов. Несомненно, с высшим образованием, с мозгами, с определённым опытом работы.

Кор. В чём вы видите общественное значение радиостанции, так сказать, её миссию?

— Независимое влиятельное средство массовой информации, хочет оно того или нет, выполняет определённые общественно значимые функции, главная из них, пожалуй, — распространение информации конструктивного характера. Все, кто работает на «Русском радио», хотят, чтобы люди, слушая радио, улыбались. Сколько можно пропагандировать чернуху? Это не значит, что мы чего-то не замечаем или не хотим замечать, просто стараемся сделать для людей что-то хорошее. И, судя по всему, у нас это получается.

а) Сравните начало двух интервью. Какое из них вы считаете более удачным? Аргументируйте своё мнение.

б) Передайте основное содержание интервью, используя справочный материал. Какой вопрос или ответ вы передадите без изменения? Аргументируйте своё решение.

в) Напишите информационные сообщения, используя материал интервью.

7. а) Прочитайте заголовок интервью. Как вы думаете, о чём будет идти речь в этом интервью?

б) Прочитайте интервью. Совпадает ли ваше предположение с содержанием интервью? Объясните слова Дж. Джованнини, вынесенные в заголовок.

В. «Пресса — это не библия и не коран»

Интервью было взято у Джованни Джованнини, когда он находился в Москве, на совещании Международной федерации газетных издателей, президентом которой он являлся.

В 23-летнем возрасте Джованнини оказался в немецком плену. Журналистскую карьеру начал после войны в газете «Стампа». В 1976 году становится президентом Итальянской федерации газетных издателей, а с 1985 года вступает в должность президента агентства АНСА. Иными словами, этот итальянец был одним из крупнейших магнатов издательского бизнеса, которых у нас давно принято именовать «газетными королями».

— Доходность прессы, как вы, г-н Джованнини, отмечали здесь на московском совещании, — условие её независимости. А не бывает ли наоборот, когда, скажем, западные средства массовой информации жертвуют какими-то принципами ради коммерческой выгоды?

— Если и бывает, то крайне редко. Вспоминаю пару случаев, когда влиятельные рекламодатели — а у нас это чаще всего крупные корпорации — наказывали чересчур «строптивых», покушавшихся на их интересы газетчиков тем, что прекращали заказывать у них рекламные полосы. Конкуренты рассерженных на прессу фирм немедленно пользовались образовавшимся вакуумом и, что называется, «в пику» соперникам обрушивали на страницы опальных изданий целый поток рекламы своих автомобилей, своей мебели, своих моющих средств, своих гостиниц. Тем временем подскакивал и тираж — читатели ведь очень любят, когда журналисты конфликтуют с сильными мира сего.

— Но каким образом можно, на ваш взгляд, раз и навсегда обеспечить в мировой печати верховенство правды, истины?

— Послушайте, коллеги: пресса — это ведь не библия, не коран! Не надо требовать от неё некоего кодекса готовых мудрых и притом безупречных в своей нравственной чистоте ответов на все вопросы жизни. Пусть уж пресса даёт информацию, и притом самую разнообразную. А читатель, сопоставляя её, сможет сам сделать правильные выводы.

— Существуют ли вопросы, которые пресса в вашей стране не может обсуждать свободно? Так сказать, зоны, закрытые для гласности?

— Если говорить об итальянской прессе, то «закрытых» зон я не знаю.

— И пресса может критиковать всех государственных деятелей, вплоть до президента?

— Да, и его тоже, когда он того заслуживает. Да что президент! В печати можно найти даже критику папы, что для нашей католической страны вещь, казалось бы, невозможная. Хотелось бы заметить только, что ограничители всё же должны быть — я имею в виду совесть, такт и чувство меры, без которых настоящая журналистика немыслима.

— Один наш читатель призвал газетчиков писать всю правду, но и не забывать о старинной заповеди медиков — «не навреди».

— Прекрасная мысль! Пресса — оружие серьёзное и острое, и пользоваться им надо умеючи. Продолжая медицинскую аналогию, я скажу, что надо хорошо видеть разницу между больной и здоровой тканью. Когда скальпель отсекает то, что отмерло, жизнеспособное надо сохранить. Но, с другой стороны, коли уж нет возможности излечить без боли, не задев за живое, то иногда надо претерпеть небольшой урон, дабы сохранить главное. И уж конечно нельзя ориентироваться на это «не навреди» с тем, чтобы надеть на прессу намордник.

— Как вы оцениваете достижения политики гласности в нашей стране?

— Безусловно, прогресс очень заметен. Вы попросту имеете совершенно другую прессу, нежели несколько лет назад.

— И последний вопрос. Как вы думаете, может быть, стоит создать международный пресс-клуб журналистов, пишущих на международные темы.

— Признаюсь, над этим я никогда не задумывался. Идея вроде бы неплохая. Во всяком случае она вполне соотносится с замыслом построения «общеевропейского дома». Журналисты — это особое профессиональное братство, члены которого хорошо находят общий язык друг с другом, даже если говорят на разных языках.

в) Определите композицию интервью. Почему корреспондент знакомит читателя с биографией Дж. Джованнини?

г) К какому выводу подводит Дж. Джованнини? Найдите фразу, в которой выражена главная его мысль. Согласны ли вы с этим выводом или нет? Аргументируйте своё мнение.

д) Передайте основное содержание интервью, используя справочный лексический материал (см. с. 169).

Послетекстовые задания к интервью

8. Тест № 4.

1) При публикации интервью журналист ... .

   А. описывает события

   Б. даёт анализ событий

   В. приводит вопросы и ответы

2) **А.** В интервью под названием «Как добрые соседи» затрагиваются вопросы ... .

   А. экономического сотрудничества

   Б. политической ситуации

   В. культурного сотрудничества

3) **Б.** Интервью «В чём секрет успеха "Русского радио"» посвящено ... .

   А. проблемам СМИ

   Б. объяснению актуальности коммерческого радио

   В. созданию популярного народного радио

4) **В.** Основное значение прессы состоит в том, чтобы давать ... .

   А. нравственную оценку событиям

   Б. оперативную информацию

   В. всесторонний анализ событий

Матрица к тесту № 4.

   1. А Б В
   2. А Б В
   3. А Б В
   4. А Б В

9. Закончите предложения, используя материал текстов.

а)

Соседние государства (не) должны ... .

   сосуществовать *как*
   искать *что*
   найти *что*
   задевать *что*
   помогать *кому*
   ссориться *с кем*
   строить *что*

б)

Радиостанции (не) должны ... .

   внедрять в жизнь *что*
   создавать *что*
   соответствовать *чему*
   выполнять *что*
   распространять *что*

в)

СМИ (не) должны	печатать *что*
	давать *какую* информацию
	жертвовать *чем*

Журналисты (не) должны	писать *что*
	конфликтовать *с кем*
	обсуждать *что*
	критиковать *кого*
	пользоваться *чем как*
	иметь совесть, такт и чувство меры

Читатели (не) должны	понимать *что*
	любить *что*
	делать *какие* выводы

Владельцы СМИ (не) должны	наказывать *кого*
	прекращать + *инф.*
	обрушивать *что на что*

10. *Прочитайте интервью. Сформулируйте вопросы, на которые отвечают собеседники корреспондентам.*

Г. Не намерен сдаваться повстанцам генерал, возглавляющий сторонников убитого президента страны. Об этом он заявил в понедельник в столице. В интервью корреспонденту агентства Рейтер он указал, что находящиеся под его командованием военнослужащие не собираются оставлять контролируемые ими районы столицы. Вместе с тем генерал заверил, что будет соблюдать соглашение о прекращении огня.

Д. Сделать небо безопасным

В Монреале прошли заседания очередной сессии ассамблеи Международной организации гражданской авиации (ИКАО).

— Гражданская авиация находится на сложном этапе своего развития, — сказал в беседе с корреспондентом руководитель российской делегации. — С одной стороны, она стала одним из важных элементов мировой инфраструктуры. С другой стороны, беспокоит надёжность авиатранспортной системы.

Одну из самых серьёзных опасностей для гражданской авиации представляют сегодня террористические акты. ИКАО и государствачлены пока не смогли поставить надёжный заслон преступным действиям. Террористы продолжают атаковать гражданскую авиацию.

Представляется, что сейчас необходимо найти формулу правильных взаимоотношений государственных органов со средствами массовой информации при освещении актов незаконного вмешательства в деятельность гражданской авиации. Ведь не случайно в своём выступлении президент совета отметил, что нередко «преступников привлекает не столько фактический размах террористического акта, сколько широкое освещение такого акта средствами массовой информации». Другая, не менее сложная проблема безопасности гражданской авиации — это довольно высокая аварийность, отметил глава российской делегации.

Впервые на этой сессии в качестве самостоятельного пункта в повестку дня включён вопрос о роли ИКАО в борьбе с незаконными перевозками наркотических средств по воздуху.

а) Сравните эти интервью с корреспонденциями. В чём вы видите отличие? Чем оно вызвано?

б) Передайте основное содержание этих интервью в форме информационного сообщения, корреспонденции.

11. Возьмите интервью у редактора, президента, актёра... Какие вопросы вы зададите? Напишите эти интервью в разных формах.

СТАТЬЯ

С т а т ь я — публицистическое сочинение, близкое к научному трактату небольшого размера. Основная задача статьи — показать связи какой-либо ситуации, проблемы с общими проблемами современности, дать оценку, объяснение факта.

Статьи условно можно разделить на и н ф о р м а ц и о н н о - а н а л и т и ч е с к и е и п о л е м и ч е с к и е .

В и н ф о р м а ц и о н н о - а н а л и т и ч е с к о й статье автор развивает определённую мысль, обосновывая её системой фактов. Как правило, основная информация содержится в первом абзаце, а далее идёт аргументирующий материал и в конце — выводы. Но структура может быть и иной. Статьи знакомят читателя с позицией редакции по самому злободневному вопросу (передовая статья), популяризируют политические знания, анализируют положение дел в стране, мире (теоретическая статья), ставят и обсуждают различные проблемы (проблемная статья). Почти в каждом номере газеты имеется публицистический комментарий — оперативный отклик на различные события, незамедлительная их оценка. Комментарий может быть написан по-разному: и как информационно-аналитическая статья, и в форме полемической, критической и даже сатирической статьи.

П о л е м и ч е с к а я статья зачастую содержит разбор взглядов кого-либо, какой-либо теории. Такая статья обычно состоит из трёх частей: автор знакомит читателей с теорией, взглядами оппонента; критикует или поддерживает эту теорию, взгляды; приводит свои аргументы и делает выводы. Эти три части могут идти в любой последовательности.

В статье используются те же лексико-стилистические средства, что и в других жанрах.

1. Тест № 5.

1) Основная задача статьи ... .

    А. указать цель, причину, результат события

    Б. информировать читателя, проанализировать события, дать оценку

    В. рассказать о замысле автора, дать анализ произведения

2) Статья обычно состоит из ... .

    А. двух частей

    Б. четырёх частей

    В. трёх частей

3) Статьи условно можно разделить на ... .

    А. информационно-хроникальные

    Б. публицистические и общественно-политические

    В. информационно-аналитические и полемические

Матрица к тесту № 5.

    1. А Б В
    2. А Б В
    3. А Б В

2. *Прочитайте текст. Запомните следующие словосочетания.*

| государственный официальный родной | язык | давать получать | информацию *на каком* языке |

считать *какой* язык родным
языковое образование
языковая сфера, гармония
языковые проблемы

общаться *на каком* языке

Три языка — и все как родные

Среди особенностей легендарных швейцарских франков — не только стабильность на валютных биржах.

Мало кто обращает внимание на то, что на этих банкнотах текст написан на четырёх языках: немецком, французском, итальянском и ретороманском. Что, впрочем, естественно: все четыре провозглашены государственными языками Швейцарии, а первые три — официальными.

Ну а один из вопросов, занимающих нашего соотечественника, впервые попавшего в эту страну, примерно такой: неужели швейцарцам не мешает их «многоязычие»?

Свыше двух третей населения считают родным немецкий язык, примерно каждый пятый — французский, один из двадцати — итальянский. Первые проживают в основном на севере страны, вторые — на западе, третьи — на юге. На востоке сосредоточилось «ретороманоязычное» меньшинство (0,5% населения).

Ещё с детских лет швейцарец начинает усваивать тот факт, что «чужие» языки надо учить как следует. В школе обязательным считается хорошее знание как минимум двух языков («своего» плюс ещё одного из официальных). По возможности школьники и студенты стараются осилить и третий, понимая, что в Швейцарии — стране туризма и международных контактов, расположенной «на европейском перекрёстке», — шанс получить приличную работу напрямую связан с языковым образованием.

В то же время в любой точке страны можно с равным успехом «поймать» хотя бы один теле- или радиоканал, вещающий на немецком, французском или итальянском. В любом киоске или магазине швейцарец без труда находит газету или книгу на том языке, который считает родным. Вся окружающая письменная информация (расписания на вокзалах, счета в гостиницах, объявления и т.д.) обычно даётся на трёх или даже четырёх языках.

Свидетельством особого внимания к языковой сфере является, в частности, положение, в котором находится реторороманский язык. Перевод на него всей официальной документации не обязателен, однако на нём ведётся особое некоммерческое теле- и радиовещание, налажен стабильный выпуск книг, газет и журналов.

Подобная практика, конечно, требует крупных государственных ассигнований. Однако швейцарцы, имеющие в Европе репутацию людей бережливых, в данном случае мирятся с дополнительными расходами, считая языковой вопрос весьма серьёзным.

Доказательства этой серьёзности можно, кстати, найти в швейцарской истории. Четыре века назад страну сотрясали кровопролитные гражданские войны, причиной которых были языковые различия. Остатки былой неприязни встречаются и сегодня на бытовом уровне: например, в немецкоговорящих кантонах на улице могут демонстративно не ответить на обращение, произнесённое по-французски. Но это всё же случается нечасто. В целом же швейцарской языковой гармонии завидуют во многих странах.

Послетекстовые задания к тексту «Три языка — и все как родные»

3. Тест № 6.

1) Валютой в Швейцарии являются ... .   А. доллары

Б. марки

В. франки

2) На банкнотах текст написан на ... .   А. одном языке

Б. четырёх языках

В. трёх языках

3) Официальными языками Швейцарии провозглашены ... .

А. итальянский, немецкий, английский

Б. итальянский, французский, английский

В. французский, итальянский, немецкий

4) В школах Швейцарии обязательными являются ... .

А. два иностранных языка

Б. три иностранных языка

В. один иностранный язык

Матрица к тесту № 6.

1. А Б В
2. А Б В
3. А Б В
4. А Б В

4. *Какая информация подтверждает название статьи?*

5. *Ответьте на вопросы.*

1) Чем официальный язык отличается от государственного?
2) Что помогает решить проблемы общения между швейцарцами?
3) Почему швейцарцы пошли на крупные финансовые расходы? Окупаются ли они?
4) Удалось ли швейцарцам решить языковые проблемы?
5) Существуют ли языковые проблемы в вашей стране? Если существуют, каким образом их решают?

6. *Определите тип статьи.*

7. *Передайте основное содержание статьи в форме информационного сообщения.*

8. *Прочитайте статью, предварительно выполнив предтекстовые задания.*

Предтекстовые задания к тексту «Парадоксы глобализации»

*а) Обратите внимание на сочетаемость прилагательных **между-**
народный, мировой. Запомните их.*

Международный, -ые вопросы, отношения, события…
Мировой, -ая, -ое, -ые господство, история, ресурсы, экономика…

б) Найдите в словаре значение следующих слов и словосочетаний:

глобализация, изоляционизм, эволюция
заблуждение
социальные потрясения, финансовый крах
равноправный обмен *чем*

в) Запомните следующие словосочетания:

изменить весь строй человеческих взаимоотношений
стоять на полярных позициях
потреблять *какую* часть мировых ресурсов
ставить под угрозу *что*
занимать доминирующие позиции *где*
описывать блага глобализации
преодолевать этнические конфликты и социальные противоречия

Парадоксы глобализации

Минувшее столетие недаром считается самым революционным в истории. Но среди длинного списка потрясших мир событий нет самой масштабной революции XX века, имя которой — глобализация.

У тезиса о революционном характере глобализации наверняка найдётся немало критиков, которые попытаются доказать, что это явление, напротив, является ярким примером эволюции. Нам представляется, столь распространённое заблуждение связано с тем, что глобализации — вот уже скоро сто лет. То есть очень много по сравнению с жизнью отдельно взятого наблюдателя, которому кажется, что любой процесс, длящийся на протяжении жизни нескольких поколений, никак не может называться революцией. Однако глобализация именно революция, потому что она достаточно быстро (относительно мировой истории) и принципиально изменяет весь строй человеческих взаимоотношений.

И речь идёт не о власти над отдельной страной или регионом, а о настоящем, реальном мировом господстве.

К такому масштабному и серьёзному явлению, как глобализация, довольно сложно отнестись объективно, поэтому большинство рассуждающих о ней специалистов стоят на полярных позициях.

Одни — почвенники и патриоты (вне зависимости от собственной национальной принадлежности) — видят в глобализации только зло. Для них это процесс новой колонизации мира, осуществляемой в собственных эгоистических интересах даже не столько западными странами, сколько финансовыми институтами и закрытыми клубами, которые потребляют большую часть мировых ресурсов и используют всё остальное человечество как свою сырьевую базу, рассматривая другие народы исключительно как крепостных или рабов.

Впрочем, среди противников глобализации есть и серьёзные экономисты и политики, которые утверждают, что глобализация ставит под угрозу полноценное существование целого ряда национальных экономических систем, она грозит многим странам финансовым крахом с вытекающими из этой ситуации социальными потрясениями.

И всё же сторонники глобализации пока занимают доминирующие позиции в мире, и уж точно — в информационном пространстве. Их доводы, тысячи раз на дню в явном и завуалированном виде транслируемые средствами массовой информации, сводятся к описанию благ глобализации. Например, таких. Глобализация — это свободное перемещение товаров и услуг, беспрепятственное передвижение людей через государственные границы. Они утверждают, что создание единого планетарного сообщества постепенно приведёт к преодолению этнических конфликтов и социальных противоречий.

Довольно очевидно, что по-своему правы и те, и другие. Безусловно, чистый изоляционизм — это плохо, а успешное взаимодействие с остальным миром, равноправный обмен ресурсами, технологиями и т.п. — это хорошо.

Однако глобализация в теории или в декларации и глобализация на практике — совершенно разные вещи. Поэтому мы наблюдаем появление многочисленных негосударственных общественных организаций, которые объединяют тех, кто выступает против того, как осуществляется глобализация в наше время.

Послетекстовые задания к тексту «Парадоксы глобализации»

9. Тест № 7

1) Глобализация принципиально меняет весь строй … .

   А. во всём мире
   Б. человеческих взаимоотношений
   В. в западных странах

2) Глобализация служит интересам … .

   А. в отдельном регионе
   Б. западных стран
   В. финансовых институтов и закрытых клубов всего человечества

3) Глобализацию поддерживают … .

   А. во всём мире
   Б. в определённых кругах безоговорочно
   В. в определённых кругах с оговорками

Матрица к тесту № 7.

1. А Б В
2. А Б В
3. А Б В

10. *Согласитесь или опровергните следующие утверждения. Аргументируйте своё мнение.*

1) Глобализация — это масштабная революция XX века.

2) Глобализация — это яркий пример эволюции международного общества.

3) Глобализация — это процесс новой колонизации мира.

4) Глобализация — это угроза финансового краха, социальных потрясений многим государствам.

5) Глобализация — это преодоление этнических конфликтов и социальных противоречий.

6). Глобализация — это успешное взаимодействие с остальным миром.

7) Глобализация — это равноправный обмен ресурсами, технологиями и т.п.

11. *Прочитайте статью. Запомните следующие словосочетания:*

что уходит своими корнями в отношения *между кем/чем*
что берёт своё начало *когда*

что вступило в силу *когда*

заложить *что* в основу *чего*

в чём предусматривается *что*

История отношений между ЕС и РФ

История отношений между Европейским Союзом (ЕС) и Российской Федерацией уходит своими корнями в отношения между Европейским Сообществом и СССР. В 1989 году Европейское Сообщество и СССР подписали соглашение о торговле и коммерческом и экономическом сотрудничестве. Современная история отношений между ЕС и Россией берёт своё начало в 1994 году, когда было подписано <u>Соглашение о партнёрстве и сотрудничестве</u> (вступило в силу 1 декабря 1997 года). Соглашение, первоначально заключённое на 10 лет, впоследствии после 2007 года было автоматически пролонгировано.

В основу Соглашения заложены важнейшие общие цели, в нём определяется правовая и организационная структура тех или иных общественных отношений, включая саммиты. В Соглашении предусматривается проведение совместных действий и диалога в различных сферах, включая политический диалог, торговлю, бизнес и инвестиции, финансовое и законодательное сотрудничество. Соглашение впоследствии было дополнено рядом отраслевых соглашений, регулирующих сотрудничество между ЕС и Россией в отдельных сферах.

ЕС и Россия готовы начать переговоры по новому стратегическому соглашению, которое должно заменить действующее Соглашение. Ожидается, что это будет длительный процесс, после завершения которого документ должен будет быть утверждён Европарламентом, парламентами каждой из стран ЕС и России. До окончания этого процесса действующее Соглашение будет ежегодно возобновляться для того, чтобы не прерывать постоянных двусторонних отношений.

Послетекстовые задания к тексту «История отношений между ЕС и РФ»

12. Тест № 8.

1) Экономическое со-   А. в 1989 году
   трудничество между   Б. в 1994 году
   ЕС и РФ началось ... .   В. в 1997 году

2) В Соглашении преду-
сматриваются … .

А. законодательное сотрудничество

Б. совместные действия в отдельных сферах

В. совместные действия в различных сферах

3) Стороны … .

А. утвердили действующее Соглашение

Б. заменили действующее Соглашение

В. ведут переговоры по новому стратегическому Соглашению

Матрица к тесту № 8.

1. А Б В
2. А Б В
3. А Б В

13. а) *Найдите абзац, в котором содержится основная информация.*

б) *Выразите одной фразой основное содержание статьи.*

в) *Найдите аргументирующий материал.*

г) *К какому выводу подводит автор читателя? Согласны ли вы с его выводами? Аргументируйте своё (не)согласие.*

д) *Напишите информационное сообщение, используя материал статьи.*

14. *Прочитайте статью. Обратите внимание на употребление прилагательных **военный**, **вооружённый** в следующих словосочетаниях:*

вооружённая мощь, вооружённые силы

военный потенциал, союзник

военная держава, мощь, угроза

военные круги, расходы, приготовления

С р а в н и т е : военная мощь — вооружённая мощь
военный союзник — вооружённый союзник

Через совместные усилия

Статья известного специалиста по международным вопросам профессора Киотского университета свидетельствует о том большом внимании, с которым восприняты были в Японии мирные инициативы

России. Желает того автор или нет, но ему приходится признавать между строк, что последовательный курс России на всеобщее разоружение и разрядку напряжённости стал сегодня осью развития международных событий.

Суждения автора типичны, однако, для той позиции, которую занимают в отношении российских мирных инициатив некоторые политики, а также здешние военные круги и правая пресса. Позиция эта двойственна: с одной стороны, выражается одобрение всем шагам России по сокращению вооружений.

С другой стороны, общественности внушается заведомо неверное представление, что на данном этапе развития международных отношений разоружение должно быть не общим делом всех крупнейших военных держав мира, а лишь односторонней обязанностью России. В основе такого подхода лежит утверждение, будто вооружённая мощь США и их союзников никакой угрозы миру в себе не таит. Закрывая глаза на то, что уже сегодня по размерам военных расходов Япония вышла на третье место на планете, а её вооружённые силы превратились в одну из наиболее боеспособных армий капиталистического мира, приверженцы этого мифа используют его для оправдания курса японского правительства на дальнейшее наращивание военной мощи страны. В рассуждениях автора статьи явственно прослеживаются известные взгляды руководителей управления национальной обороны Японии, утверждающих, что мирные инициативы России и её конкретные шаги по пути сокращения вооружений не должны сопровождаться соответствующими встречными шагами Японии. Выступая в пользу «совершенствования сил самообороны», автор оправдывает дальнейшее наращивание вооружённых сил страны вздорными выдумками о неких военных приготовлениях России на Тихом океане, прозрачно намекая при этом, что они будто бы предусматривают вторжение на Хоккайдо. При этом профессор умалчивает о том, что наряду с японскими «силами самообороны» на территории его страны находятся крупные контингенты её военного союзника — США.

Есть в этой статье, правда, и конструктивные мысли. В частности, высказывания о желательности развития российско-японского диалога и достижения российско-американской договорённости не только о глобальном сокращении ядерных сил, но и их сокращении в зоне Тихого океана, а также его призыв к превращению Японского и Охотского морей в «безъядерные зоны» на базе создания «новой системы безопасности». Мысли, безусловно, дельные. Жаль только, что, высказывая их, автор обошёл молчанием тот факт, что российское правительство не раз обращалось к правительствам США и Японии с такого рода предложениями. Тогда же было предложено основным военно-морским державам региона начать взаимные консультации о ненаращивании военно-морских сил.

Послетекстовые задания к тексту «Через совместные усилия»

15. Тест № 9.

1) Основным курсом современной России является ... .

   А. дальнейшее освоение космического пространства

   Б. всеобщее разоружение и разрядка напряжённости

   В. развитие торгово-промышленных отношений

2) Япония по размерам военных расходов занимает ... .

   А. третье место в мире

   Б. четвёртое место в мире

   В. второе место в мире

3) Россия выступила с призывом ... .

   А. создать свободную экономическую зону

   Б. создать торгово-промышленный союз

   В. создать «новую систему безопасности»

Матрица к тесту № 9.

    1. А Б В

    2. А Б В

    3. А Б В

16. а) *Как вы думаете, почему автор так назвал свою статью? Предложите своё название.*

б) *Разделите статью на три части:*

1-я часть. Найдите место, где автор анализирует концепции оппонента — профессора Киотского университета.

2-я часть. Найдите аргументы, которые автор выдвигает в защиту своих взглядов.

3-я часть. Определите, к каким выводам подводит читателя автор статьи.

в) Сопоставьте взгляды оппонента и автора статьи. Сделайте свои выводы. Аргументируйте их.

г) Сделайте (или напишите) информационное сообщение, используя материал статьи.

РЕЦЕНЗИЯ

Р е ц е н з и я — статья, в которой даётся оценка или делается критический разбор какого-либо научного, политического или художественного произведения, спектакля, кинофильма и т.д.

Рецензия, как правило, содержит данные о рассматриваемом произведении, о замысле автора, даёт анализ произведения, указывает на его общественную значимость.

Задача рецензента: осветить позицию автора, место произведения в творчестве автора, ответить на вопрос — насколько глубоко раскрыта тема, каков публицистический, научный или художественный уровень произведения.

Функции рецензирования: помочь читателю или зрителю разобраться в различных вопросах экономики, политики, культуры; привлечь внимание к наиболее значимым, по мнению автора, произведениям.

В рецензии используются те же лексико-грамматические средства, что и в других жанрах.

1. Прочитайте рецензию, предварительно выполнив следующие задания.

а) Запомните следующие словосочетания:

воцарение *какого* мира *где*
разрыв в уровне развития *чего*
разница *между чем и чем*
отток жителей *откуда куда*
запустение деревни

обожествление природы

загрязнение окружающей среды

| заимствование
вторжение
развитие | *какой* культуры
норм морали |

б) Определите состав следующих слов:

доброжелательный, благожелательный, самобытный, самоизоляция, огнестрельное оружие, многогранный опыт.

Японское чудо — взгляд изнутри

Разные оттенки окрашивают наш интерес к соседним народам. Интерес россиян к Стране восходящего солнца всегда был и остаётся доброжелательным. И книжка «Двухэтажная Япония», автор которой, журналист-международник, много лет провёл в Токио на корреспондентской работе, — лишнее тому подтверждение. Она продолжает сложившуюся у нас в последние десятилетия традицию благожелательного рассказа об этой стране, которую всегда хочется видеть среди самых добрых соседей.

История не раз избирала Японию местом для проведения интереснейших экспериментов. VI–IX века — беспримерно широкое заимствование материальной и духовной культуры другого (китайского) народа. XVII–XIX столетия — развитие самобытной культуры в условиях длившейся более 200 лет самоизоляции от внешнего мира, во время которой была предпринята успешная попытка приостановить развитие военной техники и запретить огнестрельное оружие, что привело к воцарению двухвекового мира в стране. Вторая половина XX века — широчайшее вторжение материальной культуры, норм морали, ценностных ориентаций США. А с 60-х годов мир заговорил о «японском экономическом чуде», небывалых темпах промышленного роста, резком улучшении качества товаров, успехах в науке и технике Страны восходящего солнца. «Двухэтажная Япония» в увлекательной форме поможет читателю понять, как всё это происходило и что за этим стоит.

Почему автор дал книге такое название, можно узнать из предисловия. Именно таким было его первое впечатление от зачастую сливающихся или переходящих друг в друга японских городов и деревень с теснящимися двухэтажными строениями под черепичными крышами. Своего рода «двухэтажность» автор увидел и в очевидном разрыве в уровне развития главного из четырёх основных японских островов — Хонсю и тремя остальными — Хоккайдо, Кюсю и Сикоку, в бросающейся в глаза разнице между оснащёнными роботами и компьютерами, гигантами японской промышленности и работающими на них средними и мелкими предприятиями, персоналу которых приходится трудиться дольше и тяжелее, а зарабатывать меньше, в оттоке в города сельских жителей и запустении деревни, ещё несколько десятилетий назад обеспечивавшей страну продовольствием, в уживающемся в японцах обожествлении природы с загрязнением окружающей среды и т.д.

«Двухэтажная Япония» написана с мыслью о возможности применения многогранного опыта этой страны в нашей жизни. Это и «экономическое чудо», позволившее при жизни одного поколения добиться коренных перемен, в реальность которых мало кто верил в начале реформ. Это и «политическое чудо» — широкое внедрение сверху демократических институтов в государстве, которое не прошло «классического» пути развития капитализма с присущими ему понятиями буржуазной демократии и в течение десятилетий находилось под властью тоталитарных режимов.

Богато иллюстрированная и хорошо изданная «Двухэтажная Япония» существенно расширяет наши знания о соседней стране. Эта книжка стоит того, чтобы её прочесть.

Послетекстовые задания к тексту «Японское чудо — взгляд изнутри»

2. Тест № 10.

1) Рецензия посвящена ... .
   А. книге «Современная Америка»
   Б. книге «Двухэтажная Япония»
   В. книге «Страна восходящего солнца»

2) Название книги связано с ... .
   А. двойственностью политической позиции страны
   Б. двойственностью в решении вопросов охраны окружающей среды
   В. двойственностью в уровнях развития производства и жизни народа

3) В книге много ... .   А. иллюстраций

Б. статистических данных

В. примеров экономических проблем

Матрица к тесту № 10.

    1. А Б В

    2. А Б В

    3. А Б В

3. а) *Что даёт основание назвать данную публикацию рецензией?*

б) *Найдите ответы на следующие вопросы:*

1) Какие сведения сообщает рецензент об авторе рецензируемой книги?

2) Чем рецензент объясняет интерес российского читателя к Японии?

3) Как автор объясняет название книги?

4) Как рецензент понимает замысел автора?

5) В чём рецензент видит общественную значимость книги?

в) *Напишите информационное сообщение, используя материал рецензии.*

4. *Прочитайте рецензию, предварительно выполнив предтекстовые задания.*

Предтекстовые задания к рецензии «Сами свой разум употребляйте...»

а) *Найдите в словаре значения следующих слов:*

корифей, фрагмент, ноша, помор

б) *Запомните следующие словосочетания:*

развеивать/развеять заблуждение

показать *кого* глазами *кого*

видеть *кого* глазами *кого*

нуждаться в осмыслении *чего*

в) *Объясните употребление следующих словосочетаний:*

выйти в свет, выпуск сборников, выход из кризиса, войти в жизнь, вклад в развитие *чего*

«Сами свой разум употребляйте ...»

О новой серии научно-художественных книг издательства «Современник» «Открытия и судьбы» впору писать не рецензию, а рекламу — так нужен стране сегодня поиск путей выхода из экологического кризиса, нужны новые кадры талантливых учёных, инженеров, изобретателей. А воспитывать их можно в том числе и на примерах биографий корифеев прошлого.

Эту ношу и взяли на себя создатели серии. Готовятся к выпуску сборники очерков-жизнеописаний о замечательных изобретателях и экономистах («От махин до роботов»), об инженерах («Розмыслы»), агрономах («Сеятели и хранители»), освоителях космоса («Вопреки земному притяжению»). Начинается работа над сборниками о российских физиках, математиках, химиках, историках, языковедах, философах-космистах.

В каждом случае жизнеописание сопровождается блоком документов, воспоминаний, фрагментами научных трудов или текстами патентов, суждениями отечественных и зарубежных учёных, общественных деятелей. Мы видим корифея науки глазами его современников и потомков, можем оценить его вклад в развитие цивилизации, понять, что из его наследия вошло в жизнь, что забыто и нуждается в сегодняшнем осмыслении, а что искажено технократами и принесло не только плюсы...

Вышел в свет первый том — «Михайло Ломоносов». На обложке — мифологический Геракл с земным шаром в могучих руках. Это рисунок самого Ломоносова. Невольно вспоминаются слова другого гения — Н.И. Вавилова: «Учёный всегда должен быть над глобусом».

Давнее заблуждение, будто об открытиях Ломоносова на Западе не знали, развеивается двумя разделами: «Глазами современников», где помещены публикации о работах и открытиях Ломоносова в зарубежных газетах, журналах и отзывы учёных, а также разделом «Ломоносов в мировой культуре» — тут опубликованы статьи-обзоры зарубежных исследователей: француженки Л. Ланжевен, японца Есио Имаи и других. Под одной обложкой впервые собраны разноречивые высказывания учёных о гениальном поморе.

В разделе «Зеркало литературы» Ломоносов показан глазами писателей и поэтов двух веков: от Ксенофонта Полевого до Бориса Шергина и Валентина Пикуля, от Державина и Пушкина до Н. Рыленкова и М. Алигер.

Думается, современному читателю захочется самому ознакомиться с наследием Ломоносова, а оно представлено в томе фрагментами его работ по химии, физике, астрономии, геологии, географии, стихами, его «Древней историей Российской» и даже «Кратким руководством к красноречию». Последнее особенно любопытно в пору нашей «митинговой демократии».

Злободневен завет Михайлы Васильевича потомкам: «Сами свой разум употребляйте — меня за Аристотеля, Картезия и Невтона не почитайте. Ежели вы мне их имя дадите, то знайте, что вы холопы; а моя слава падёт и с вашею».

Так что не только знаменитой «ломоносовской упрямке» в житейских и учёных бурях можно научиться у энциклопедиста Ломоносова, но и прекрасным человеческим качествам.

Послетекстовые задания к рецензии «Сами свой разум употребляйте...»

5. Тест № 11.

1) Основной темой рецензии является описание ... .

    А. новой серии научно-художественных книг

    Б. целого ряда статей

    В. художественного произведения

2) Жизнеописание великих учёных сопровождается ... .

    А. комментариями рецензентов

    Б. мнениями разных людей

    В. фактами, документами

3) Воспитывать молодёжь необходимо на ... .

    А. современных кинофильмах

    Б. примерах биографий великих людей

    В. собственных ошибках

Матрица к тесту № 11.

    1. А Б В
    2. А Б В
    3. А Б В

6. а) *Как вы думаете, почему автор в название рецензии вынес слова Ломоносова? Как вы их понимаете? Аргументируйте своё мнение.*

б) *Как вы думаете, почему в рецензии основное внимание уделено книге «Михайло Ломоносов»?*

в) *Расскажите, что нового вы узнали о Ломоносове из этой рецензии.*

г) *Предложите свой вариант рецензии на книгу «Михайло Ломоносов» или на другую какую-либо книгу, статью.*

РЕПОРТАЖ

Р е п о р т а ж — это сообщение о событиях дня, оперативная информация о событии, которое журналист видел собственными глазами или в котором непосредственно участвовал. Поэтому строгая документальность, достоверность, точное воспроизведение событий сочетается с живописным, эмоциональным изображением действительности, с открыто выраженной авторской позицией.

Журналист приводит детали, подробности, которые помогают читателю лучше представить себе обстановку, в которой происходит описываемое событие.

В репортаже нет стилистических ограничений.

Российско-германский форум в Баден-Бадене

В живописном старинном немецком городе Баден-Баден прошла очередная встреча представителей общественности России и Германии, на которой обсуждался широкий круг вопросов — от экономического взаимодействия до проблем построения гражданского общества. Такие встречи стали традиционно ежегодными с тех пор, как в 2000 году бывший посол России при ЮНЕСКО по своей инициативе создал и возглавляет эту общественную организацию — Баден-Баденский Форум (ББФ).

Специфика и характерная особенность проходящих здесь каждый год симпозиумов заключается в том, что на них не только выступают с докладами и дискуссируют бизнесмены и учёные, депутаты и педагоги, журналисты и дипломаты. Это лишь одна сторона многоплановых повесток дня. Специфика таких встреч состоит в том, что происходящее в Баден-Бадене общение даёт, в итоге, осязаемые практические результаты.

В одних случаях — непосредственно в ходе работы ББФ совершаются конкретные сделки, заключаются контракты, согласовываются взаимные обязательства на перспективу.

В других случаях, в период работы Форума устанавливаются прямые личные контакты между заинтересованными во взаимовыгодном сотрудничестве людьми. Это могут быть коммерсанты, промышленники, инвесторы, банкиры, исследователи, издатели и так далее. Поэтому ББФ справедливо называют биржей деловых контактов.

В ходе бесед и обмена мнениями рождаются идеи о том, как дальше развивать и совершенствовать связи, содействовать предпринимательской и интеллектуально-культурной деятельности. Возможностей для этого достаточно — ведь в таких встречах участвуют до ста представителей двух стран.

В своей заключительной речи член правления ББФ, президент компании «Global Panel», выражая настроение участников, сказал: «Все мы уезжаем отсюда с новыми знаниями, с новым багажом полезных и интересных знакомств, с новыми представлениями друг о друге и идеями для совершенствования нашего сотрудничества».

Сравните с информацией (с. 24), с корреспонденцией (с. 162). Чем они отличаются друг от друга? Чем вызвана разница в подаче материала?

Белое солнце Тауплицальма[*]

Солнце по настоящему стало для нас белым в последние два дня. Оно стало холодным и белым. Белым из-за осадков, падающих в последние дни на эту землю в невероятных количествах. Метр снега в день, и это не мои фантазии, это мои наблюдения. Ратраки[**] просто тонут своими широкими гусеницами в этой мягкой и холодной массе. И при немыслимой силе они глохнут, пытаясь сдвинуть с места гору снега своим передним ножом.

---

[*] Тауплицальм – горнолыжный курорт в Австрии.
[**] Ратрак – специальная снегоуплотнительная машина на гусеничном ходу, используемая для подготовки горнолыжных склонов.

Погода по-настоящему принесла сюрприз этой стране, хотя в горах бывает погода и похуже, но мало нам уже не кажется. Снегоуборочные машины не прекращают свою работу днём, люди откапывают дома, засыпанные по второй этаж, но всё это делается непринуждённо и с такой любовью к своему делу, что кажется, лето на дворе. Огромные машины успевают закатать огромное количество горнолыжных склонов, подъёмники работают по расписанию, хотя людей на горных лыжах не видно. Может, причина этому — видимость не более 15-ти метров.

В общем, жизнь здесь ни на секунду не останавливается. Люди борются с непогодой, а гостиничная жизнь как была на высшем уровне, так и продолжается в этих условиях.

Сегодня у нашей команды должна была состояться контрольная тренировка, 10 км классикой, погода помешала этому, машины не успевают закатывать трассу, и идеальный вариант — ехать на тренировке прямо за ратраком. Сильный ветер и снег засыпают лыжню, и уже минут через 20 встав на очередном повороте, не понимаешь, куда ехать.

Что даёт основание для хорошего настроения? Конечно, отличная силовая тренировка и тренировка координации движений. Хорошая проверка своего организма на выносливость. Быть в горах и не попасть в такую погоду — значит совсем не быть в горах. Тауплицальм был щедрым к нам на солнце и на отличную погоду, и этим 2–3 дня воспринимаются нами спокойно и с улыбкой. Лишний повод надеть козырёк на голову и маску на лицо, покидать снег лопатой и после тренировки погреться в бане.

Утром команда лыжников отправляется в Вену на самолёт до Москвы. Сбор прошёл хорошо, задачи практически все выполнили, ребята в хорошем настроении.

Предтекстовые задания к репортажам

1. Определите значение следующих слов и словосочетаний. К какому стилю речи они относятся? Чем можно объяснить их употребление в репортажах?

А. затащить *кого куда*, полюбуйтесь, заметьте, а то могу мальчишки, девчонки, прогульщики; кровные, накладно; лукаво ни свет ни заря, судя по всему, что же; кстати, впрочем

Б. расхватывать *что*, устремиться *к чему*; дороговизна как нельзя лучше, в довершение всего, на полном скаку забытый богом край

В. сводить счёты *с кем*, творить *какие* дела, нести *кому* горе; грязные дела

2. Прочитайте репортаж. Найдите детали, характерные для этого жанра. Чем можно объяснить в нём наличие элементов интервью?

А. Учим русский

Вот уж действительно сюрприз так сюрприз. И ожидал он нас в небольшом итальянском городке Каркаре.

— А разве я вам его не обещал? — лукаво спросил Марко Скиезаро, энтузиаст русского языка, затащивший нас сюда на своём вишнёвом «Фиате» из портовой Савоны. — Вот он, полюбуйтесь...

Над входом в местное профессиональное училище, над всем широким стеклянным подъездом висело приветствие, написанное по-русски: «Добро пожаловать в Каркаре!»

— Надеюсь, по-русски читать умеете? Переводить не надо? А то могу. — И он с выражением, «аккомпанируя» словам театральными жестами, торжественно зачитал текст. И, судя по всему, остался очень доволен собой.

— Это мои ученики постарались. Заметьте, написано без ошибок. Но самого главного вы ещё не знаете. Я и мои подопечные решили создать здесь клуб друзей русского языка.

— Откуда знаете, что такие существуют?

— Мы же читаем русскую газету. Ведь я преподаю русский не только по учебникам, но и по газетам, которые, кстати, выписываю на свои кровные.

— Накладно?

— Недёшево. Зато полезно... А вот и наша «королева», которая предоставила в своём «царстве» класс для занятий русским языком.

Навстречу вышла обаятельная, мило улыбающаяся женщина. Анна-Мария Тортерола, директор местного профтехучилища, охотно провела нас по своим владениям. Показала светлые и хорошо оборудованные помещения, мастерские для практических занятий. Рассказала, чему обучают здесь мальчишек и девчонок во время двухгодичных курсов.

«И самое главное, — сказала она, — все выпускники обеспечиваются работой. Обучение бесплатное. Расходы оплачивает правительство области Лигурии...»

А потом начался урок русского. В роли преподавателей в этот раз выступали мы. Прогульщиков не было. Впрочем, если здесь кто-то берётся изучать какой-либо предмет, то относится к делу серьёзно. Невзирая на возраст. Ведь за партами перед нами сидели и шестнадцати-, и двадцатипяти-, и даже семидесятилетние «школьники». Конечно, не все они «коренные» слушатели училища. Многие приходят сюда, в клуб друзей России, изучать именно русский язык и узнавать из русских газет о том, что происходит в далёкой России.

Что же, урок прошёл плодотворно, хотя домашних заданий не проверяли. Напротив, мы чаще отвечали на вопросы, чем их задавали. Это был урок нормального человеческого общения. Урок, у которого не бывает учителей, а бывают одни ученики.

Уехали мы из Каркаре в Савону лишь поздней ночью, а утром ни свет ни заря в гостиницу позвонил Марко и сообщил: «Не удивляйтесь, но в Савоне тоже открывается клуб друзей России. По крайней мере, президент профессионального клуба рабочих "Аркаэнел" готов предоставить для этого помещение».

Отлично. Значит, уроки русского в Италии продолжаются. А это настоящие, как мы убедились, уроки дружбы.

Послетекстовые задания к репортажу «Учим русский»

3. Тест № 12.

1) Действие, описанное в репортаже, происходит ... .

  А. в пригороде Лондона
  Б. на побережье Франции
  В. в небольшом итальянском городке

2) Приветствие участников было написано на ... .

  А. английском языке
  Б. немецком и итальянском языках
  В. русском языке

3) На базе профтехучилища решили создать ... .

  А. курсы иностранных языков
  Б. клуб друзей русского языка
  В. клуб любителей спорта

4) Русский язык в училище пре-
подают ... .

А. только по учебникам

Б. только по газетам

В. по учебникам и газетам

5) Обучение в профтехучилище
... .

А. оплачивают родители учеников

Б. оплачивают спонсоры

В. оплачивает правительство области

6) Русский язык в клубе друзей
России изучают ... .

А. дети школьного возраста

Б. люди всех возрастов

В. учащиеся профтехучилища

7) Это был урок ... .

А. только русского языка

Б. нормального человеческого общения

В. обучения культуре речи

Матрица к тесту № 12.

1. А Б В
2. А Б В
3. А Б В
4. А Б В
5. А Б В
6. А Б В
7. А Б В

4. а) *Выделите основную идею репортажа.*

*б) Как вы думаете, почему корреспондент выбрал такую форму по-
дачи материала? Предложите свой вариант.*

*в) Передайте основную идею репортажа в виде информационного
сообщения, корреспонденции.*

5. *Прочитайте репортаж.*

Б. Ветряк Санчо Пансы

«Тут глазам их открылось не то тридцать, не то сорок ветряных
мельниц, стоявших среди поля, и как скоро увидел их Дон Кихот, то
обратился к своему оруженосцу с такими словами:

— Судьба руководит нами как нельзя лучше. Посмотри, друг Санчо Панса: вот там виднеются тридцать, если не больше, чудовищных великанов, — я намерен вступить с ними в бой и перебить их всех до единого...»

Когда я услышал этот отрывок из гениального произведения Мигеля де Сервантеса разносящимся из репродукторов, установленных там, где, по преданию, Дон Кихот со своим спутником увидели сказочных «великанов», то впечатление спектакля только усилилось. В довершение всего из-за пригорка на полном скаку вылетел всадник, увешанный латами, с копьём в руках, и галопом помчался к ближайшему ветряку.

Следившие за этой сценой несколько тысяч участников зрелища устремились к мельнице. Тем временем обсыпанный мукой «Дон Кихот» появился из узкой двери. В руках у него было два мешка. Развязав один из них, он набрал несколько пригоршней свежемолотой муки и высыпал их в бадью рядом стоявшего булочника. Из второго достал стопку книжек и стал раздавать окружившей его детворе. Школьники, а их было большинство, буквально расхватывали книжки.

Затем у подножия ветряной мельницы начался импровизированный митинг. После выступлений приехавшего по этому случаю из Мадрида представителя министерства культуры Испании, одного из руководителей муниципалитета, библиотекаря и детской писательницы, со стены ветряка сорвали покрывало и под звуки оркестра местных пожарных запели национальный гимн. На гранитной плите было выгравировано, что отныне ветряк, получивший имя Санчо Пансы, вступил в строй действующих и что он станет не только молоть муку и кормить людей хлебом насущным, но и давать духовную пищу: здесь будет действовать филиал библиотеки муниципалитета посёлка Консуэгра.

— Для нашего забытого Богом края это огромное событие, — говорит алькальд (мэр) Консуэгра.

Алькальда дополняет учительница местной школы.

— У преподавателей, — говорит она, — сегодня настоящий праздник знаний. К сожалению, следует отметить, что автономная область Кастилия-ла-Манча занимает «лидирующее место» в Испании по числу неграмотных. Поэтому праздник книги — это настоящая отдушина и для учеников, и для жителей посёлка. Кроме того, учитывая дороговизну в Испании печатной продукции, в этот день книги продаются со значительной скидкой.

Уезжая на следующий день из Консуэгры, я увидел стайки ребят, которые сбегали по каменистой тропке, возвращаясь от ветряка имени Санчо Пансы. В руках у них были разноцветные томики.

Послетекстовые задания к репортажу «Ветряк Санчо Пансы»

6. Тест № 13.

1) Репортаж начинается отрывком из произведения ... .
   - А. «Красное и чёрное» Стендаля
   - Б. «Дон Кихот» Мигеля де Сервантеса
   - В. «Собор Парижской богоматери» Виктора Гюго

2) Спутника Дон Кихота звали ... .
   - А. Жан Поль
   - Б. Санчо Панса
   - В. Мигель Родригес

3) «Дон Кихот» раздавал детям во время представления ... .
   - А. конфеты
   - Б. игрушки
   - В. книги

4) Митинг у ветряной мельницы был посвящён ... .
   - А. юбилею посёлка Консуэгра
   - Б. открытию мельницы
   - В. открытию библиотеки

5) Открытие нового ветряка даёт возможность жителям посёлка ... .
   - А. делать муку и кормить людей хлебом насущным
   - Б. получать духовную пищу
   - В. демонстрировать возможности мельницы

6) Торжественное событие, описанное в тексте, преподаватели назвали ... .
   - А. настоящим праздником знаний
   - Б. долгожданным днём отдыха
   - В. возможностью общения друг с другом

7) В автономной области Кастилия-ла-Манча много неграмотных, потому что ... .
   - А. открыто мало школ
   - Б. у молодёжи нет желания учиться
   - В. высокие цены на книги

8) Открытие библиотеки даст жителям возможность больше читать (приведите пример из текста)
   - А. да
   - Б. нет
   - В. возможно

Матрица к тесту № 13.

1. А Б В
2. А Б В
3. А Б В
4. А Б В
5. А Б В
6. А Б В
7. А Б В
8. А Б В

7. а) *Как вы думаете, почему журналист дал своему репортажу такое название? Предложите своё название.*

б) *Какие детали в описании праздника свидетельствуют, что корреспондент присутствовал на нём?*

в) *Найдите в репортаже основную информацию, ради которой он написан, и передайте её в виде информационного сообщения, корреспонденции.*

г) *Какие вопросы вы задали бы алькальду, учительнице, представителю министерства культуры Испании, если бы вы брали у них интервью? Приведите их ответы, используя материал репортажа.*

д) *Объясните, как вы поняли, почему «Дон Кихот» появился с двумя мешками, в которых были мука и книги.*

е) *«Не хлебом единым жив человек». Найдите подтверждение значения этой пословицы в репортаже.*

8. *Прочитайте репортаж. Определите, чем он отличается от предыдущих репортажей.*

В. Схватка с наркомафией

Запомнилось первое знакомство с Боготой: утром проснулся от того, что где-то рядом с гостиницей началась перестрелка.

— Не беспокойтесь, у нас это бывает, — заметила горничная, — наркомафия с кем-то сводит счёты.

Всё чаще и чаще поступают тревожные вести из Колумбии: наркомафия творит свои грязные дела. Она убирает со своего пути всех, кто мешает. Вот и позавчера на улицах города прогремели взрывы. На этот раз боевики «кокаиновых королей» убили пять человек, в том числе журналиста, обстреляли кафе, где также погибло семь посетителей. Всего же за два последних года жертвами наркомафии стали свыше 11 тысяч человек.

Колумбийская мафия сегодня — это гигантский разветвлённый международный наркокартель. Он имеет свои заводы в лесах, свою авиацию, эмиссаров в других странах. Есть группа боевиков, люди, отвечающие за перевербовку тайных агентов полиции, подкуп судей, военных, политических деятелей...

Белый порошок, произведённый химическим путём из листьев кустарников коки в лесах Колумбии, соседних Боливии и Перу, идёт по всему миру. По данным экспертов ООН, доходы от сбыта наркотических средств составляют более 300 миллиардов долларов, превышая доходы от сбыта нефти на мировом рынке и уступая лишь доходам от продажи оружия.

Сколько горя несёт людям этот белый порошок! Правительство Колумбии повело настоящую войну с наркомафией. Её поддерживают все прогрессивные силы. По сообщению российского корреспондента из Нью-Йорка, на заседании генерального комитета Генеральной Ассамблеи ООН принято решение включить в повестку дня очередной сессии новый пункт — о проведении специальной сессии Генеральной Ассамблеи ООН для обсуждения проблемы производства и контрабанды наркотиков.

Эту неотложную глобальную проблему на рассмотрение сессии внесла большая группа государств. Проблема наркотиков, приобретающая всё более серьёзный характер, объединяет всё международное сообщество в его настойчивом стремлении незамедлительно принять решительные меры для борьбы с наркомафией, говорится в предложенном меморандуме.

Послетекстовые задания к репортажу «Схватка с наркомафией»

9. Тест № 14.

1) Действие репортажа происходит в ... .

А. Рио-де-Жанейро

Б. Чикаго

В. Боготе

2) В репортаже говорится ... .

А. о торговых сделках бизнесменов

Б. о грязных делах наркомафии

В. о политических переговорах на высшем уровне

3) Наркомафия решает свои проблемы, ...

А. садясь за стол переговоров

Б. «убирая» с пути всех, кто мешает

В. стараясь не обращать внимания на них

4) Наркодельцов называют ... .

А. бизнесменами

Б. наркоманами

В. «кокаиновыми королями»

5) Колумбийская мафия сегодня — ... .

А. это организованная группа людей

Б. это гигантский разветвлённый международный наркокартель

В. это группы торговцев наркотиками

6) Торговля наркотиками приносит ... .

А. минимальную прибыль

Б. максимальную прибыль (более 300 млрд долларов)

В. среднюю прибыль

7) Наркотики называют ... .

А. микстурой

Б. «белым порошком»

В. гранулами

8) Для борьбы с наркомафией ... .

А. каждая страна применяет свои методы

Б. международное сообщество не может договориться

В. международное сообщество объединяется

Матрица к тесту № 14.

1. А Б В	5. А Б В
2. А Б В	6. А Б В
3. А Б В	7. А Б В
4. А Б В	8. А Б В

10. а) *Найдите в репортаже основную информацию, ради которой он написан. Передайте её в виде корреспонденции.*

б) *Укажите причину того, что все прогрессивные силы поддерживают борьбу с наркомафией.*

в) *К какому выводу подводит корреспондент читателя? Найдите эту фразу.*

г) *В заголовке говорится о событии или о выводе? Почему автор именно так назвал свой репортаж? Аргументируйте своё мнение.*

д) *Как вы думаете, почему корреспондент именно так начал свой репортаж? Предложите свой вариант.*

е) *Передайте основное содержание репортажа в виде информационного сообщения, корреспонденции.*

ОЧЕРК

О ч е р к — это небольшое литературное произведение, в основе которого лежит воспроизведение реальных фактов, событий, лиц, увиденных автором непосредственно в самой жизни.

О ч е р к отличается от других жанров публицистики художественным, образным языком, от жанров литературных — тем, что он основан на фактах, рассказывает о конкретных событиях и людях чаще всего с документальной точностью.

В очерке наиболее полно проявляется индивидуальность автора, его умение ярко, образно рассказать о событиях, людях.

1. *Прочитайте очерк, предварительно посмотрев в словаре следующие слова и словосочетания:*

брусчатка, фонтанчик, башмаки, чужбина

неспешно потягивать пиво; запотевшие бокалы; стайки студентов; быть в разгаре; светлые блики; штудировать *что*; печься о «лице» своих студентов; баснословные деньги; хлеб насущный; не под силу

«Руссы» в Марбурге

На площади городской ратуши из старинного фонтанчика тёмно-кирпичного цвета лениво текла вода. Немногочисленные посетители старинной пивной «У ратуши» неспешно потягивали пиво из запотевших бокалов. На Барфусштрассе — улице Босоногих, сбегающей вниз к подножию холма, практически не было прохожих. Накалённая солнцем брусчатка жгла ступни даже сквозь подошвы башмаков. И только стайки студентов виднелись тут и там: летняя сессия в Марбургском университете была в самом разгаре.

Время, казалось, замерло в этом древнем городке. Как и столетия назад при Лютере, возвышался над Марбургом замок ландграфа. Так же стоял на Барфусштрассе невысокий домик братьев Гримм, бросая на брусчатку светлые блики от нежно-белой штукатурки. Поражала своей стройностью и законченностью форм готика богословского факультета старейшего в стране протестантского университета.

— А знаете, — говорит мой добровольный гид по городу, преподавательница русского языка в университете Барбара Кархоф, — два ваших знаменитых соотечественника были в Марбурге в числе беспокойного племени студентов. Как написал советский поэт Ваншенкин: «Высветил знак в гуще вопросов, где Пастернак и Ломоносов, каждый — студент, разным столетьем каждый задет городом этим». Кстати, об этом говорят и мемориальные доски.

С именем нашего знаменитого предка Михаила Васильевича Ломоносова многое связано в Марбурге, напоминает о годах, проведённых им здесь.

«Петербургские руссы» — Ломоносов не один был послан Российской академией наук на учёбу в Марбург — были записаны в университетскую книгу 17 ноября 1736 года. И было тогда от роду Михаилу Васильевичу 25 лет. Марбургский университет состоял в те времена всего из четырёх «коллегий», или факультетов. В старинной, построенной ещё в XIII веке, готической церкви, на стенах которой ныне прикреплена мемориальная доска в память о нашем знаменитом предке, «студиозусы» изучали богословие. В просторном и внушительном здании бывшего монастыря доминиканского ордена штудировали юриспруденцию. Медицинская и философская коллегии тоже были недалеко от прочих факультетов — под сводами бывшего францисканского монастыря. Здесь же тогда помещались университетская библиотека и многочисленные кельи-комнаты студентов.

Надо сказать, Российская академия наук пеклась о «лице» своих студентов, а посредством этого — и Отчизны. Жили они на частных квартирах, сами себе нанимали профессоров и получали ежегодно на своё содержание баснословные по тем временам деньги — 300 рублей серебром. Впрочем, как свидетельствуют хроники, М.В. Ломоносов основные средства тратил на преподавателей и приобретение книг. Из Марбурга он вывез отличную библиотеку. Что же касается хлеба насущного, то его завтрак, рассказывали современники, состоял «из нескольких селёдок и доброй порции пива».

— Вот здесь, на Барфусштрассе, жил Ломоносов, — говорит Барбара, показывая на невысокое угловое здание.

Дом явно не «тянет» на постройку начала XVIII века. Да и магазин писчебумажных товаров на первом этаже ещё больше углубляет сомнения.

Спеша рассеять недоумение, собеседница поясняет: «Настоящий дом, где жил М.В.Ломоносов, к сожалению, сгорел ещё в начале прошлого века. А это уже сравнительно новая постройка».

Идём не спеша дальше по Барфусштрассе. Старинные здания бережно сохраняются, реставрируются. На вид они такие, как и сто, двести лет назад. А вот внутри — «начинка» полностью современная, вплоть до канализации и водопровода. Дома в основном частные и отреставрировать их самостоятельно владельцу порой не под силу. Чтобы сохранить неповторимый исторический облик города, власти предоставляют на внутреннюю модернизацию, реконструкцию старинных зданий значительную безвозмездную ссуду.

— В этом доме на улице Босоногих, — как заправский гид продолжает экскурсию Барбара, — частенько бывал Ломоносов. Видите — мемориальная доска над дверьми. Она посвящена Христиану Вольфу. Ко времени приезда в Марбург русских студентов он достиг большой славы во всей Европе. Вольф был не только преподавателем, но и, как сказали бы сейчас, куратором «руссов». Следил за их успехами в учёбе, приглашал в гости, чтобы петербуржцы не чувствовали себя одинокими на чужбине.

Вольф сразу обратил внимание на талантливого юношу, начал заниматься с ним индивидуально. Ломоносов прошёл у него универсальный курс логики, философии, метафизики, права, теоретической физики, механики, оптики, гидравлики, фортификации и даже пиротехники.

В ходе этого небольшого экскурса в историю над Марбургом начался перезвон колоколов. Басовито загудел главный колокол замка в Штифтс-кирхе. Тонким голоском стал подпевать колокол поменьше на Кугель-кирхе. В этот хор степенным баритоном включился голос древнего собора Святой Елизаветы.

Послушав этот перезвон, Барбара заметила:

— А ведь в нашей марбургской реформатской церкви Ломоносов венчался с дочерью скромного местного пивовара Елизаветой Христиной Цильх. Об этом в церковной книге сохранилась соответствующая запись от 6 июня 1740 года.

По древним мостовым Марбурга можно бродить часами. Здесь что ни улица, что ни дом — всё история. Но не только днём вчерашним, как говорится, живёт город. Современный Марбург — это крупный научный центр Германии. Отрадно, что в последние годы Марбургский университет развивает связи с Россией.

...Пройти из конца в конец Барфусштрассе времени много не надо — меньше часа. Но в эту короткую экскурсию уложились и века отдалённые, и день нынешний.

Послетекстовые задания к очерку «Руссы в Марбурге»

2. Тест № 15.

1) Текст относится к жанру ... .

   А. репортажа

   Б. очерка

   В. статьи

2) Слово, которое употребил автор в названии очерка, — это ... .

   А. «петербургские руссы»

   Б. «руссы»

   В. русские

3) Автор начинает очерк ... .

   А. с описания пейзажа

   Б. с описания старинного городка

   В. с описания современного Марбурга

4) Основной достопримечательностью Марбурга является ... .
   А. домик братьев Гримм
   Б. Марбургский университет
   В. замок ландграфа

5) В Марбургском университете учился ... .
   А. Менделеев
   Б. Б. Пастернак, М. Ломоносов
   В. академик Сахаров

6) Ломоносова направили учиться в Марбург ... .
   А. правительство России
   Б. Общество студентов
   В. Российская академия

7) О пребывании Ломоносова в Марбурге напоминают ... .
   А. мемориальные доски
   Б. музей-кабинет Ломоносова
   В. научные труды

8) За обучение «руссов» в университете платили ... .
   А. родители Ломоносова
   Б. Российская академия
   В. Марбургский университет

9) Кураторами «руссов» в университете были ... .
   А. профессора университета
   Б. Христиан Вольф
   В. никто

10) Свою стипендию Ломоносов тратил ... .
    А. на поездки по стране
    Б. на жизнь
    В. на книги

11) Современный Марбург представляет собой ... .
    А. крупный научный центр Германии
    Б. крупный исторический центр
    В. крупный индустриальный город

Матрица к тесту № 15.

1. А Б В	7. А Б В
2. А Б В	8. А Б В
3. А Б В	9. А Б В
4. А Б В	10. А Б В
5. А Б В	11. А Б В
6. А Б В	

3. а) Как вы думаете, почему автор именно так назвал свой очерк? Почему он употребил слово «руссы», а не «русские»?

б) Как вы думаете, почему автор начинает очерк с описания современного Марбурга? Предложите свой вариант начала очерка.

в) Найдите в очерке основную информацию, ради которой он написан.

г) Назовите художественные средства, которые дают основание считать «Руссы в Марбурге» очерком.

д) Как вы думаете, почему для автора «в короткую экскурсию уложились и века отдалённые, и день нынешний»?

е) Сравните информацию, полученную из рецензии на книгу «Михайло Ломоносов» (с. 196) и из очерка. В чём её отличие и в чём сходство? Аргументируйте своё мнение.

СОПОСТАВЛЕНИЕ ЖАНРОВ

1. Прочитайте информационное сообщение, корреспонденцию, репортаж и интервью. Сравните их, определите их отличие и сходство.

А. Завершая программу

Завершается совместный полёт шестерых космонавтов на борту орбитального комплекса «Мир». Научная программа исследований выполнена полностью. Возвращение на Землю космонавтов планируется 21 декабря в 9 часов 49 минут московского времени.

Самочувствие космонавтов хорошее. Работа на орбите идёт по намеченному графику.

Б. Крупное достижение советской космонавтики

Программа выполнена полностью

После успешного завершения программы исследований и экспериментов на борту пилотируемого комплекса «Мир» 21 декабря в 12 часов 57 минут московского времени космонавты возвратились на Землю. Спускаемый аппарат корабля «Союз ТМ-6» совершил посадку в 180 километрах юго-восточнее города Джезказгана. Самочувствие космонавтов после приземления хорошее. Работу на орбите продолжают три космонавта.

Космонавты находились в полёте один год.

За это время на борту комплекса «Мир» выполнена обширная программа астрофизических, геофизических и медицинских исследований, технологических и биотехнологических экспериментов.

Большая часть рабочего времени в полёте была отведена медицинским экспериментам. С использованием новых методов и усовершенствованной аппаратуры проводились кардиологические, психофизиологические и радиобиологические исследования, изучались обменные процессы в организме человека.

Во время выхода в открытое космическое пространство космонавты выполнили запланированные научно-технические эксперименты.

Полученные в ходе полёта результаты имеют большую научную ценность и найдут применение в различных отраслях науки и народного хозяйства нашей страны, послужат делу прогресса, на благо всех людей Земли.

В. С орбиты — в Москву, в Звёздный

Теперь, когда они на Земле, могу признаться: с особым нетерпением следил за тем, как протекают все динамические операции — старт, стыковка, выход в открытый космос, приземление — с участием «Океанов».

Сердце каждый раз так и замирает, когда, пытаясь удержать в поле зрения всё уменьшающийся огонёк ракеты, ждёшь сообщения: «Отработали двигатели третьей ступени!»

И на этот раз, услышав, что вертолёты поисково-спасательной группы восстановили радиосвязь с уже повисшим на парашюте спускаемым аппаратом, встречавшие «Океанов» вздохнули с особым чувством облегчения. Да, конечно, это означало, что успешно закончен самый длительный полёт в околоземном пространстве. Да, за всем этим стоят незаурядное мужество и мастерство.

И сейчас можно сопоставить: что планировалось и что получилось. В основном получилось всё.

Правда, для ремонта телескопа потребовался не один, а два выхода в открытый космос. Но вскоре выяснилось, что не выдержали не люди, не выдержали инструменты — сломались. А люди взяли новые, опять надели скафандры и выполнили операцию, которую никто до них не делал и которую конструкторы не предусматривали.

А судьба словно решила до конца испытать стойкость космонавтов: при посадке экипажа ЭВМ не поняла переданную на борт программу и, как и положено, зажгла тревожный сигнал.

Надо отдать должное всем участникам этой операции — ни в ЦУПе, ни на борту не потеряли хладнокровия.

— Это даже хорошо, — философски заметили космонавты, — появится время спокойно полюбоваться Землёй.

Время это — два витка, почти три часа — ушло на выяснение обстановки. Удивительно спокойно вели в эти часы переговоры с Землёй космонавты. И с некоторой отсрочкой, но посадка спускаемого аппарата состоялась.

Вот такой багаж опыта привезли с собой на Землю космонавты. Это — не считая результатов научных исследований.

Экипаж доставил на Землю столько материалов, что хватит специалистам на месяцы и годы работы.

Ну и в заключение этого рейса, в ходе которого многое делалось впервые, ещё одно новшество. Обычно с места посадки самолёты везли космонавтов на Байконур, где они и проходили реадаптацию к земным условиям и начинали составлять отчёт о своей работе. На этот раз самолёты взяли курс прямо на Москву, так что сейчас космонавты уже в Звёздном, откуда и начинался их путь на орбиту.

Г. После года на орбите

Беседа с космонавтами в Звёздном

Предосторожности ещё соблюдаются. Разговаривать с космонавтами нам разрешили только через стекло с помощью микрофонов — врачи опасаются случайной инфекции. А так в комнату, отведённую в Звёздном для пресс-конференции вошли весёлые, бодрые, жизнерадостные люди.

— Пока гуляем по десять-пятнадцать минут, — отвечает Титов на вопрос о самочувствии, — но надеемся Новый год встретить как все люди.

— Но ведь год на орбите как-то на вас отразился?

— Внешне мы те же. Но вот психологически, пожалуй, стали устойчивее. Ну и врачи, проводя анализы, находят какие-то обратимые изменения в организме. Но мы основательно готовились к встрече с Землёй и, как видите, стоим на своих ногах.

— А я, к моему сожалению, — добавляет Кретьен, — был в космосе не год, а только месяц. Но очень примечательный месяц в своей жизни. Теперь рассчитываю поехать в горы для полной реадаптации.

— Чтобы полететь в космос, — даёт свою оценку Манаров, — нужны здоровье и характер. И то и другое, на мой взгляд, дают горы, в том числе и родные — Дагестана. Вы знаете, до полёта я слышал много рассказов о том, как прекрасна наша планета с орбиты. И всё-таки, когда взглянул на неё своими глазами, вначале даже не поверил, что может быть такое фантастически захватывающее зрелище. Его не передать словами, надо видеть самому. Так вот, даже на этом фоне прекраснее всего мне казались горы. Во всяком случае наблюдение за ними давало положительные эмоции, а это совсем не лишнее в таком длительном полёте.

— Я за два рейса был в трёх экипажах, — добавляет Кретьен. — И должен сказать, что здесь, в Звёздном, умеют готовить хороших специалистов. Все выполнили свои обязанности прекрасно, а о Манарове я бы даже сказал, что он был техническим королём станции «Мир».

— Так что же, — допытываются журналисты, — всё обошлось без трудностей?

— Самое трудное было, — улыбается Титов, — убедить врачей после посадки, что мы в хорошем физическом состоянии, но кажется, удалось.

— Два добавочных витка к годовому полёту, — говорит Кретьен, — не так уж мало. Но Титов и Манаров отлично справились и с дополнительными трудностями. И в канун Нового года мне бы хотелось пожелать вам, вашим слушателям и читателям тоже космического здоровья и счастья.

На том и закончилась эта первая после приземления «Океанов» их пресс-конференция.

В первые дни после приземления самое эффективное упражнение для космонавтов — ходьба. Спустя несколько дней они начнут тренировать мышцы голеней и спины, которые ослабевают в условиях невесомости, в их распоряжении целый комплекс реабилитационных мероприятий. Но у специалистов ещё немало вопросов к экипажу, так что уже в ближайшие дни космонавтам предстоит не только восстановить здоровье, но и приступить к обстоятельному научному отчёту о рейсе.

Послетекстовые задания

2. Тест № 16.

1) Отличительная черта жанра «репортаж» ... .
   А. краткость изложения
   Б. строгая документальность
   В. присутствие в тексте элемента сатиры

2) Основное достоинство информационного сообщения ... .
   А. оперативность и сжатость
   Б. сообщение максимума информации
   В. анализ события

3) Интервью — это ... .
   А. обсуждение группой людей актуальной проблемы
   Б. беседа журналистов между собой
   В. беседа журналиста с каким-либо лицом или группой лиц

4) Текст под названием «Завершая программу» относится к жанру ... .
   А. информационное сообщение
   Б. корреспонденция
   В. очерк

5) Текст «Крупное достижение советской космонавтики» относится к жанру ... .
   А. информационное сообщение
   Б. корреспонденция
   В. репортаж

6) Текст «С орбиты — в Москву, в Звёздный» относится к жанру ... .
   А. корреспонденция
   Б. репортаж
   В. информационное сообщение

7) Текст «После года на орбите» относится к жанру ... .
   А. корреспонденция
   Б. репортаж
   В. интервью

8) В представленных текстах говорится ... .
   А. об экономике
   Б. о космонавтике
   В. об экологии

9) Во время пребывания на орбите ... выход в открытое космическое пространство.

А. состоялся

Б. был запланирован

В. не состоялся

10) Во время полёта международного экипажа большая часть рабочего времени была отведена ... экспериментам.

А. астрофизическим

Б. географическим

В. медицинским

11) Для ремонта телескопа в открытом космосе потребовалось ... .

А. три дня

Б. два дня

В. один день

12) При посадке аппарата с космонавтами ... .

А. были проблемы с парашютом

Б. ЭВМ зажгла тревожный сигнал

В. ничего не случилось

13) После посадки космонавтов обычно везут ... .

А. в реабилитационный госпиталь

Б. в Центр научных исследований

В. на Байконур

14) На этот раз самолёты взяли курс ... .

А. на Байконур

Б. на Париж

В. на Москву в Звёздный городок

15) Разговаривать с космонавтами после полёта можно через стекло с помощью микрофона ... .

А. чтобы ограничить доступ журналистов

Б. так как врачи опасаются инфекции

В. так как у космонавтов возникают проблемы со слухом

16) Будущему космонавту необходимо ... .

А. терпение

Б. здоровье

В. огромное желание

17) Самое эффективное упражнение для космонавтов после приземления ... .

А. плавание

Б. теннис

В. ходьба

18) После восстановления здоровья космонавтам необходимо ... .

А. взять длительный отпуск

Б. составить обстоятельный отчёт

В. готовиться к следующему полёту

Матрица к тесту № 16.

1. А Б В   10. А Б В
2. А Б В   11. А Б В
3. А Б В   12. А Б В
4. А Б В   13. А Б В
5. А Б В   14. А Б В
6. А Б В   15. А Б В
7. А Б В   16. А Б В
8. А Б В   17. А Б В
9. А Б В   18. А Б В

а) Сравните, как журналисты описывают результаты полёта, выход космонавтов в космос, их самочувствие. Чем вызвано различие в подаче материала?

б) Как вы думаете, какие задачи ставили журналисты, сообщая о завершении полёта в космос?

в) Какая информация более интересна для читателей? О чём должны больше писать журналисты, когда сообщают о полётах в космос? Аргументируйте своё мнение.

г) Напишите или сделайте сообщение о последнем космическом полёте.

3. *Прочитайте следующие материалы. Сравните их, определите жанр, найдите отличия и сходство.*

А. Вчера в центре Алма-Аты была поймана рысь. Как она попала в город, остаётся загадкой. Сейчас рысь находится в зоопарке, где специалисты определили, что её возраст примерно четыре месяца.

Б. Рысь в городе

В центре Алма-Аты заметили необычного зверя: похож на кошку, но на высоких толстых ногах, хвост короткий, на ушах — кисточки. Кто-то определил, что это рысь.

Она спокойно пересекла магистраль и очутилась во дворе жилого дома.

Позвонили в милицию, к месту визита лесного гостя поспешила оперативная группа.

Зверь забрался на высокое дерево и с беспокойством смотрел на людей.

Сержант Агапов полез на дерево, но рысь крепко держалась за ветки. Всё же сержанту удалось благополучно снять лесного гостя с дерева.

Рысь доставили в зоопарк, где определили, что её возраст примерно четыре месяца.

Как рысь попала в город, остаётся загадкой. Скорее всего, её поймал кто-то из горожан, но не уследил за нею, и зверь оказался на воле.

В. Вчера вся Алма-Ата была возбуждена происшествием: в центре города была поймана рысь. Наш корреспондент встретился с Анной Николаевной Ивановой, которая была свидетельницей этого происшествия.

— Анна Николаевна, вы действительно видели рысь? Как это случилось?

— Пошла я на днях в булочную. И десяти метров не прошла, вдруг вижу — идёт прямо на меня огромная кошка. Это я сначала подумала, что кошка, а потом вижу: кошка эта — вовсе не кошка. У кошки лапки короткие, а у этой — длинные, толстые и хвост маленький. Да и ходят кошки по-другому — торопливо, а эта идёт так важно, не спеша.

— Почему вы решили, что это рысь?

— Господи, да это же рысь, самая настоящая! Я в зоопарке точно такую видела.

— Вы, наверное, испугались?

— Я испугалась, конечно, а рысь спокойно перешла улицу и вошла в наш двор. Тут её ребята увидели. Побежали к ней с криком, а рысь — на дерево. Мальчишки со всех сторон к дереву сбежались. А один уже на дерево полез. Хорошо тут взрослые подошли, остановили его.

— Что же произошло дальше?

— Я про свои дела забыла, побежала в милицию звонить. Дежурный ответил: «Не волнуйтесь, сейчас выезжаем». И правда, пяти минут не прошло, подъехала милицейская машина. Вышли трое. Один, моло-денький, на дерево полез. А рысь сидит — не слезает. Еле-еле сняли её и в зоопарк увезли.

— Как она могла попасть к вам во двор?

— Народ ещё долго не расходился, все спорили: рысь это или кошка большая. А потом слухи пошли, тигр, мол, из цирка убежал и по городу бродит. Но я точно знаю, что это была рысь. Наверное, жила у кого-нибудь, а потом убежала на волю. Побегала по городу, по улицам походила, да и к нам во двор забежала.

— А вы знаете, где она сейчас?

— Теперь она в зоопарке живёт, в клетке. Маленькая, четыре месяца ей, говорят. Я с детьми туда ходила, видела. А на улице мне огромной показалась. Вот уж недаром говорят «у страха глаза велики».

4. Тест №17.

1) В центре Алма-Аты была поймана ... .
   - А. обезьяна
   - Б. пантера
   - В. рысь

2) Необычный зверь был похож ... .
   - А. на тигра
   - Б. на льва
   - В. на кошку

3) Возраст рыси примерно ... .
   - А. два года
   - Б. четыре месяца
   - В. восемь месяцев

4) Рысь, гуляя по городу, вела себя ... .
   - А. агрессивно
   - Б. спокойно
   - В. нервно

5) Увидев мальчишек, которые с криком побежали за ней ... .
   - А. забралась на дерево
   - Б. убежала в лес
   - В. зарычала на людей

6) После того как рысь поймали, её ... .
   - А. отвезли в зоопарк
   - Б. отпустили в лес
   - В. отвезли в цирк

Матрица к тесту № 17.

1. А Б В	4. А Б В
2. А Б В	5. А Б В
3. А Б В	6. А Б В

а) Сравните, как журналисты описывают происшествие в Алма-Ате.

б) Как вы думаете, интересна ли такая информация для читателей? О чём журналисты должны больше писать: о политике, экономике, достижениях науки и культуры, катастрофах или о разных происшествиях.

5. Расскажите о каком-либо событии (международном, произошедшем в вашей стране, интересном для вас) в разных жанрах.

Матрицы к тестам с указанием правильных ответов

Матрица к тесту № 1.

1. А Б* В
2. А Б В*
3. А* Б В
4. А* Б В
5. А Б В*

Матрица к тесту № 2.

1. А Б* В
2. А Б* В
3. А* Б В
4. А* Б В

Матрица к тесту № 3.

1. А Б В*
2. А* Б В
3. А* Б В

Матрица к тесту № 4.

1. А Б В*
2. А Б* В
3. А Б В*
4. А Б* В

Матрица к тесту № 5.

1. А Б* В
2. А Б В*
3. А Б В*

Матрица к тесту № 6.

1. А Б В*
2. А Б* В
3. А Б В*
4. А* Б В

Матрица к тесту № 7.

      1. А Б В*
      2. А Б* В
      3. А Б В*

Матрица к тесту № 8.

      1. А* Б В
      2. А Б* В
      3. А Б В*

Матрица к тесту № 9.

      1. А Б* В
      2. А* Б В
      3. А Б В*

Матрица к тесту № 10.

      1. А Б* В
      2. А Б В*
      3. А* Б В

Матрица к тесту № 11.

      1. А* Б В
      2. А Б В*
      3. А Б* В

Матрица к тесту № 12.

      1. А Б В*
      2. А Б В*
      3. А Б* В
      4. А Б В*
      5. А Б В*
      6. А Б* В
      7. А Б* В

Матрица к тесту № 13.

1. А Б* В	5. А Б* В
2. А Б* В	6. А* Б В
3. А Б В*	7. А Б В*
4. А Б В*	8. А* Б В

Матрица к тесту № 14.

1. А Б В*	5. А Б* В
2. А Б* В	6. А Б* В
3. А Б* В	7. А Б* В
4. А Б В*	8. А Б В*

Матрица к тесту № 15.

1. А Б* В	7. А* Б В
2. А Б* В	8. А Б* В
3. А Б В*	9. А Б* В
4. А Б* В	10. А Б В*
5. А Б* В	11. А* Б В
6. А Б В*	

Матрица к тесту № 16.

1. А Б* В	10. А Б В*
2. А* Б В	11. А Б* В
3. А Б В*	12. А Б* В
4. А* Б В	13. А Б В*
5. А Б* В	14. А Б В*
6. А Б* В	15. А Б* В
7. А Б В*	16. А Б В*
8. А Б* В	17. А Б В*
9. А* Б В	18. А Б* В

Матрица к тесту № 17.

1. А Б В*	4. А Б* В
2. А Б В*	5. А* Б В
3. А Б* В	6. А* Б В

ГРАММАТИКА В ТАБЛИЦАХ И КОММЕНТАРИЯХ

- ВЫРАЖЕНИЕ ПРИЧИННО-СЛЕДСТВЕННЫХ ОТНОШЕНИЙ

- ВЫРАЖЕНИЕ ЦЕЛЕВЫХ ОТНОШЕНИЙ

- ВЫРАЖЕНИЕ УСЛОВНЫХ ОТНОШЕНИЙ

- ВЫРАЖЕНИЕ УСТУПИТЕЛЬНЫХ ОТНОШЕНИЙ

- ВЫРАЖЕНИЕ ВРЕМЕННЫХ ОТНОШЕНИЙ

- ВЫРАЖЕНИЕ АТРИБУТИВНЫХ ОТНОШЕНИЙ

§ 1. ВЫРАЖЕНИЕ ПРИЧИННО-СЛЕДСТВЕННЫХ ОТНОШЕНИЙ

В предложениях со значением причины речь идёт о связи двух действий, событий, одно из которых служит достаточным основанием для реализации другого.

I. ВЫРАЖЕНИЕ ПРИЧИНЫ В ПРОСТОМ ПРЕДЛОЖЕНИИ

1. Грамматические средства выражения

Таблица 1

Средства выражения	Примеры
в результате *чего (Р.п.)*	Международная обстановка обострилась **в результате** *падения* цен на нефть.
в связи с *чем (Т.п.)*	Партии вступили в борьбу **в связи с** *предстоящими выборами*.
благодаря *чему (Д.п.)*	Эта партия одержала победу на выборах **благодаря** *широкой поддержке* профсоюзов.
из-за *чего (Р.п.)*	Фирма не смогла расплатиться по контракту **из-за** *нехватки* средств.
вследствие *чего (Р.п.)*	Экономика страны была разрушена **вследствие** *непрекращающихся военных действий* на её территории.
по *чему (Д.п.)*	Досрочные выборы были назначены **по** *требованию* оппозиции.
в соответствии с *чем (Т.п.)*	**В соответствии с** *решением* парламента выборы были назначены на май.
согласно *чему (Д.п.)*	**Согласно** *Конституции* России выборы в Думу проходят каждые пять лет.
по случаю *чего (Р.п.)*	Новый президент получил много поздравлений **по случаю** *избрания его* на высший государственный пост.

Средства выражения	Примеры
за *что* (В.п.)	Несколько человек задержано сегодня полицией **за** *нарушение* правил дорожного движения.
в ознаменование *чего* (Р.п.)	Салют был произведён **в ознаменование** *Дня Победы*.
в память *кого* (Р.п.)	**В память** *поэта* поклонники его таланта организовали концерт, на котором исполнялись его произведения.
на основании *чего* (Р.п.)	Закон был отклонён **на основании** его *несоответствия* Конституции.
от *чего* (Р.п.)	**От** *произвола* местных властей страдает экономика региона.
ввиду *чего* (Р.п.)	Договор приобретает решающее значение **ввиду** *глубоких экономических реформ*, которые осуществляет правительство.
исходя из *чего* (Р.п.)	Депутаты заявили прессе, что они отклонили этот договор **исходя из** *интересов* государства.

Комментарий

Предложно-падежные сочетания со значением причины

в результате *чего* (употребляется при указании причины, которая приводит к определённому результату)

в результате	выборов	улучшения *чего*
	голосования	ухудшения *чего*
	победы на выборах	
	неудачи на выборах	
	переговоров	повышения ⎫
	забастовки	падения ⎬ *чего* (цен на *что*)
	беспорядков	ослабления *чего*
	волнений	обстрела *чего*
	переворота	пересмотра *чего*
	принятых мер	взрыва *чего* (бомбы, газа)
	каких событий	столкновения *чего* (машин, судов)

| **в результате** | дождей
наводнения
землетрясения
засухи | (природные явления) |

Примеры. **В результате** переговоров был подписан договор о сотрудничестве. (Переговоры закончились подписанием договора.) **В результате** взрыва бомбы погибло два человека.

в связи с *чем* (употребляется при указании: а) на предстоящее событие; б) на событие, сопутствующее основному действию субъекта)

| **а) в связи с** | предстоящими
досрочными — выборами
приближающимися
предстоящим отъездом *кого-чего*
необходимостью *чего*
угрозой *чего* |
| **б) в связи с** | *какой* работой
гибелью *кого-чего*
победой *кого-чего* над *кем-чем* |

Примеры: а) **В связи с** предстоящими выборами партии начали предвыборную кампанию. б) Правительственная делегация Франции находится в Вашингтоне **в связи с** переговорами. (Правительственная делегация находится в Вашингтоне. Делегация ведёт переговоры — одно действие основное, другое сопутствующее).

- В некоторых случаях возможна замена предлогов **в результате** и **в связи с**: **!**

| **в результате** | резкого обострения *чего*
смены власти
инцидента
роста эмиграции
появившихся сообщений | **в связи с** | резким обострением *чего*
сменой власти
инцидентом
ростом эмиграции
появившимися сообщениями |

Примеры: Комендантский час был введён **в результате** резкого обострения обстановки в городе. (Резкое обострение обстановки в городе закончилось введением комендантского часа — указывается определённый результат обострения обстановки в городе).

В связи с резким обострением обстановки в городе был введён комендантский час. (В городе обострилась обстановка. В городе введён комендантский час. — Введение комендантского часа сопутствует основному действию — обострению обстановки в городе.)

| благодаря *чему* | (указывается благоприятная причина) |

благодаря	поддержке *кого-чего*
	помощи *кого-чего кому-чему*
	какой деятельности *кого-чего*

Пример: **Благодаря** продуманной налоговой политике курс национальной валюты стабилизировался.

| из-за *чего* | (указывается неблагоприятная причина нежелательного результата) |

из-за	отсутствия *чего* (лекарств...)
	падения *чего* (уровня жизни, цен ...)
	ухудшения *чего* (отношений...)
	роста *чего* (цен, преступности ...)

Пример: **Из-за** резкого падения цен на кофе инфляция в стране растёт.

| вследствие *чего* | (по значению близок предлогу **в результате,** но употребляется значительно реже) |

Пример: В своей речи президент резко отозвался о ситуации, сложившейся в стране **вследствие** чрезвычайного положения.

| по *чему* | (указывается основание какого-либо действия) |

по	правилам	по	примеру *кого-чего*
	традиции		убеждению
	решению *кого-чего*		условиям *чего*
	согласованию *с кем-чем*		требованию *кого*
	закону		приглашению *кого-чего*
	конституции		совету *кого*
	финансовым соображениям		...

Пример: Результаты совещания **по** требованию представителей компании в настоящее время обнародованы не будут.

| в **соответствии с** *чем* | (указывается основание какого-либо действия) |

в соответствии с	законом	планом
	декретом	документом
	конституцией	соглашением
	уставом	протоколом
	принципом	решением
	достигнутой договорённостью	...

| согласно чему | (указывается основание какого-либо действия) |

согласно	*какому* сообщению официальным источникам *каким* данным мнению *кого* решению *кого-чего* соглашению условиям *чего*	закону конституции *какому* документу мандату уставу проекту ...

!

- Предлоги **по**, **согласно**, **в соответствии** являются синонимами.

  По решению парламента закон вступил в силу в день его опубликования.

  Согласно решению парламента закон вступил в силу в день его опубликования.

  В соответствии с решением парламента закон вступил в силу в день его опубликования.

- Предлоги **согласно**, **в соответствии** придают сообщению более официальный характер.

- Замена предлога **по** на предлоги **согласно**, **в соответствии с** не всегда возможна.

Примеры: Лауреат Нобелевской премии мира мать Тереза приняла решение **по состоянию здоровья** уйти с поста настоятельницы Ордена милосердия — основанной ею благотворительной религиозной организации с отделениями в различных странах планеты. Сейчас более 400 сестёр-монахинь Ордена работают по всему миру. Сотни тысяч человек получили поддержку, помощь и лечение в приютах, созданных **по инициативе** матери Терезы, ставшей символом доброты.

| за что | (указывается основание благодарности или наказания) |

награждён	**за**	выдающиеся достижения в области науки или культуры участие в *чём* (в космическом полёте)
арестован осуждён задержан	**за**	участие в грабежах, (в *какой*) борьбе нарушение правил преступление

Примеры: Актёру присвоили звание народного артиста **за** участие в фильме «Война и мир». Президент обязался освободить заключённых, осуждённых **за** участие в антирасистской борьбе. **За** попытку рэкета в отношении японского бизнесмена в столице Таиланда арестованы два его соотечественника.

в ознаменование *чего* (указывается основание какого-либо мероприятия)

в ознаменование | праздника (*обычно о салюте, фейерверке*)
| (*какой*) годовщины *чего*

Пример: Массовые выступления молодёжи прокатились по крупным городам страны **в ознаменование** 30-й годовщины со дня начала движения протеста против диктаторского режима.

в память *кого-чего* (указывается основание какого-либо торжества)

в память | умершего деятеля, писателя
| давно прошедшего события

Пример: **В память** павших прозвучали залпы военного салюта.

от *чего* (указывается причина нежелательного результата)

гибнуть страдать **от** | непосильного труда
| недостатка *чего*
| пережитков
| произвола *кого*
| эксплуатации

Пример: Тысячи детей продолжают гибнуть **от** непосильного труда.

ввиду *чего* (указывается основание какого-либо действия)

Примеры: Договор приобретает решающее значение **ввиду** глубоких экономических и социальных реформ, которые претворяются в жизнь в целях развития рыночного хозяйства. **Ввиду** болезненного, но неизбежного переходного периода специалисты готовы оказать помощь советом и делом.

исходя из *чего* (указывается причина изменений действия)

исходя из | государственных интересов
| новых данных
| объективных реальностей

Пример: **Исходя из** объективных реальностей, сложившихся в настоящее время в стране, функции партии будут изменены.

2. Лексические средства выражения причинных отношений

Таблица 2

Средства выражения	Примеры
приводить/привести, вести к *чему* (*Д.п.*)	Ажиотажный спрос на валюту **привёл к** *резкому скачку* биржевого курса доллара.
вызывать/вызвать *что* (*В.п.*)	Повышение цен на нефть **вызвало** *обострение* международной обстановки.
приносить/принести, нести *что* (*В.п.*)	Много горя **несёт** людям *распространение* наркотиков.
причинять/причинить *что кому-чему* (*В.п.*)	Землетрясение **причинило** *ущерб экономике* страны во много миллиардов долларов.
способствовать *чему* (*Д.п.*)	Достижение согласия на переговорах **способствует** *улучшению* отношений между двумя странами.
содействовать *чему* (*Д.п.*)	Миролюбивая политика государства **содействует** *улучшению* отношений с другими государствами.
препятствовать *чему* (*Д.п.*)	Межнациональные конфликты **препятствуют** *стабилизации* обстановки в регионе.

Существительное	
причина	**Причины** нарастающего движения трудящихся кроются в их неудовлетворённости материальным положением.

Комментарий

приводить/привести к *чему* (постепенно подготовить указанный результат)

приводить/привести к *чему*	возможности *чего* *какому* выводу господству *кого-чего* захвату *чего* изоляции *кого-чего* завершению *чего* конфронтации *с кем* ликвидации *чего* миру освобождению *кого-чего* открытию *чего*	отсталости пересмотру *чего* поражению *кого-чего* разделу *чего* разрядке напряжённости распространению *чего* созданию *чего* столкновениям увольнениям *кого* успеху ...

вызывать/вызвать *что* (быть причиной возникновения чего-либо). Сочетается с существительными, обозначающими:

а) чувства, ощущения:

вызывать *что*	беспокойство	ненависть
	возмущение	обеспокоенность
	вражду	озабоченность
	гордость	опасение
	интерес	тревогу
	негодование	удовлетворение
	недоверие	...
	недовольство	...

б) отношение *к кому-чему-либо*:

вызывать/вызвать *что*	возражения	осуждение	протест
	критику	отклик	резонанс
	нападки	отпор	дискуссию
	одобрение		...

! Глаголы **вызвать** *что*, **привести к** *чему* являются синонимами в сочетании со следующими существительными:

безработица	конфликт	потери
беспорядки	крах	разорение *кого-чего*
взрыв *чего* (недовольства)	кризис	разногласия
война	напряжённость	раскол *чего*
волнения	неизбежность *чего*	расширение *чего*
восстание	необходимость *чего*	рост *чего*
выступления *кого*	обострение *чего*	сокращение *чего*
гибель *кого-чего*	ослабление *чего*	сопротивление *чего*
гонка вооружений	осложнения	трудности
дестабилизация *чего*	отставка *кого-чего*	увеличение *чего*
забастовка	падение *кого-чего*	улучшение *чего*
затруднения	повышение *чего*	уменьшение *чего*
изменения	подъём *чего*	упадок *чего*
катастрофа	*какие* последствия	ухудшение *чего*

Примеры: Профсоюзы заявляют, что политика правительства **привела** к обострению ситуации в стране. Профсоюзы заявляют, что политика правительства **вызвала** обострение ситуации в стране.

234

приносить/принести что	(дать что-либо как результат)

приносить/принести что	безработицу	освобожде-ние	результат
	вред	ние	свободу
	выгоду	*какие* плоды	убытки
	дискриминацию	победу	удовлетворение
	доход	пользу	успех
	известность	прибыль	экономию
	неудачу	разорение	...

Примеры: Борьба народа **принесла** стране освобождение от колониальной зависимости. Первая же книга **принесла** известность молодому автору.

способствовать, содействовать *чему*	(создавать благоприятные условия для достижения цели); эти глаголы являются синонимами.

препятствовать *чему*	(создавать неблагоприятные условия); антоним к глаголам **способствовать, содействовать**.

способствовать содействовать препятствовать	восстановлению *чего*	ослаблению *чего*	сближению *кого-чего*
	встрече	осуществлению *чего*	связям *кого-чего*
	выходу *кого-чего откуда*	падению *чего*	созданию *чего*
	движению *чего*	подъёму *чего*	увеличению *чего*
	делу	прогрессу	укреплению *чего*
	достижению *чего*	развитию *чего*	улучшению *чего*
	захвату *чего*	разгрому *чего*	упрочению *чего*
	инициативе *кого*	разрядке напряжённости	урегулированию *чего*
	интересам *кого*	распространению *чего*	усилению *чего*
	обострению *чего*	расширению *чего*	успеху *кого-чего*
	объединению *кого-чего*	росту *чего*	ухудшению *чего*

Примеры: Нормализация отношений между двумя государствами **способствует** укреплению мира и безопасности. Межнациональные конфликты **препятствуют** стабилизации обстановки в регионе.

Слово **причина**.

Примеры: **Причины** нарастающего движения трудящихся кроются в их неудовлетворённости своим материальным положением. Нередко **причиной** забастовок становятся конфликты на предприятиях между администрацией и рабочими.

II. ВЫРАЖЕНИЕ ПРИЧИНЫ В СЛОЖНОМ ПРЕДЛОЖЕНИИ

Грамматические средства выражения

Таблица 3

Средства выражения	Примеры
в результате того что	Эта партия потерпела поражение на выборах **в результате того, что** она является сторонницей проведения жёсткого курса.
в связи с тем что	Многие страны подняли свои учётные ставки **в связи с тем, что** они хотят сбить инфляционные процессы в своих странах.
поскольку	Банк перевести валюту не успел, **поскольку** в январе счёт во Внешэкономбанке был заморожен.
ибо	Два политических лидера примут участие во втором туре президентских выборов, **ибо** они опередили соперников из других партий.
так как	Знатоки бизнеса далеки от оптимизма, **так как** проблемы, связанные с предоставлением транспортных услуг, остаются во многом нерешёнными.

III. ВЫРАЖЕНИЕ СЛЕДСТВИЯ
(в сопоставлении с выражением причинных отношений)

Таблица 4

Следствие	Причина
поэтому	**потому что**
Армия выступила на стороне правительства, **поэтому** попытка переворота была подавлена.	Попытка государственного переворота была подавлена, **потому что** армия выступила на стороне правительства.

236

Следствие	Причина
так что Армия выступила на стороне правительства, **так что** попытка переворота была подавлена.	**так как** **Так как** армия выступила на стороне правительства, попытка государственного переворота была подавлена
в результате чего Армия выступила на стороне правительства, **в результате чего** попытка переворота была подавлена. **в результате этого** Армия выступила на стороне правительства, **в результате этого** попытка переворота была подавлена.	**в результате того что** Попытка государственного переворота была подавлена **в результате того, что** армия выступила на стороне правительства
в связи с чем В ноябре должны состояться выборы, **в связи с чем** партии вступили в предвыборную борьбу.	**в связи с тем что** Партия вступила в предвыборную борьбу **в связи с тем, что** в ноябре должны состояться выборы.

§ 2. ВЫРАЖЕНИЕ ЦЕЛЕВЫХ ОТНОШЕНИЙ

В предложениях со значением цели говорится о ситуации, которая желательна, намечается к осуществлению. О том, достигнут желаемый результат или нет, не сообщается.

I. ВЫРАЖЕНИЕ ЦЕЛИ В ПРОСТОМ ПРЕДЛОЖЕНИИ

Грамматические средства выражения

Таблица 5

Средства выражения	Примеры
для *чего* (*Р.п.*)	В ООН создана комиссия **для** *подготовки* международного договора о запрещении ядерных испытаний.
в целях *чего* (*Р.п.*)	**В целях** *безопасности* все суда должны иметь дополнительные защитные средства.
с целью *чего* (*Р.п.*)	Закон о чрезвычайном положении был принят в прошлом году **с целью** *вывода* страны из экономического кризиса.

Средства выражения		Примеры
с целью + *инф.*		Правительство расширяет контакты с соседним государством **с целью** *содействовать* происходящим там экономическим и политическим реформам.
в знак	**протеста** *против чего*	Рабочие прекратили работу **в знак протеста** *против увольнения* 500 человек.
	солидарности *с кем-чем*	Рабочие прекратили работу **в знак солидарности** *с уволенными рабочими*.
в интересах *чего (Р.п.)*		Стороны подтвердили своё намерение проводить регулярный обмен мнениями **в интересах** *углубления* сотрудничества.
ради *чего (Р.п.)*		Все миролюбивые силы должны объединиться **ради** *мира* и *прогресса* на земле.
в честь *кого-чего (Р.п.)*		**В честь** *высокого гостя* в Кремле был дан обед.
во имя *чего (Р.п.)*		Тысячи простых людей отдали свои жизни **во имя** *свободы* страны.
во избежание *чего (Р.п.)*		Генерал приказал своим войскам перейти на сторону законных властей **во избежание** *кровопролития*.
на *что (В.п.)*		Правительство планирует увеличить ассигнования **на** *социальные нужды*.
деепричастный оборот		**Стремясь заполучить голоса избирателей**, кандидаты используют самые разные методы.

Комментарий

в интересах *кого-чего* (указывается действие, которое служит на пользу кого/чего-либо) — употребляется, когда более ярко выражена целенаправленность действия и определённость цели.

сотрудничество
стабильность | **в интересах** *чего* (мира, единства, защиты *чего* ...)

Примеры: Объединить научно-технический потенциал двух стран **в интересах** защиты среды обитания человека — такова главная идея переговоров учёных этих стран. Парламент принял ряд законов, направленных на преобразование экономики, **в интересах** достижения экономической самостоятельности (**в интересах** народа).

ради *чего* (указывается действие, которое служит на пользу, благо кого/чего-либо)

Примеры: Правительство приносит в жертву интересы простых людей **ради** получения более высоких прибылей. Космонавты преодолевают нерешительность и страх перед всеми испытаниями **ради** осуществления мечты не одного поколения.

на *что* (указывается целевое назначение каких-либо средств)

глаголы	что (В.п.)	на что (В.п.)
использовать расходовать тратить выделить	средства ассигнования часть национального бюджета	**на** экономику, социальные нужды, образование, помощь *кому/чему* финансирование *чего*, закупку *чего*, оборону, вооружение, военные нужды, строительство *чего*, создание *чего*, производство *чего*

Пример: Банк выделил ассигнования **на** строительство нового завода.

II. ВЫРАЖЕНИЕ ЦЕЛИ В СЛОЖНОМ ПРЕДЛОЖЕНИИ

Грамматические средства выражения

Таблица 6

Средства выражения	Примеры
чтобы	Правительство предпринимает усилия, **чтобы** восстановить социальную справедливость.
для того чтобы	В ООН создана комиссия **для того, чтобы** она подготовила международный договор о запрещении ядерных испытаний.
с тем чтобы	Жители деревень, на месте которых хотят разбить парк, создали организацию **с тем, чтобы** защитить свои интересы.
ради того чтобы	**Ради того, чтобы** найти выход из кризисной ситуации, состоялись встречи президента с лидерами крупнейших партий.

Комментарий

! ● Соединения союзного характера **для того чтобы, с тем чтобы, ради того чтобы** уточняют и усиливают значение цели.
  ● В придаточной части глагол употребляется
в и н ф и н и т и в е — если субъект в главной и придаточной частях один и тот же;
в п р о ш е д ш е м в р е м е н и — если субъект придаточной части не совпадает с субъектом главной части.

§ 3. ВЫРАЖЕНИЕ УСЛОВНЫХ ОТНОШЕНИЙ

В выражениях со значением условия речь идёт о связи двух действий, событий, одно из которых может сделать возможным возникновение, существование или развитие второго.

I. ВЫРАЖЕНИЕ УСЛОВИЯ В ПРОСТОМ ПРЕДЛОЖЕНИИ

Грамматические средства выражения

Таблица 7

Средства выражения	Примеры
в случае *чего* (*Р.п.*)	Срок пребывания войск в стране **с случае** *надобности* может быть продлён по решению ООН.
при *чём* (*П.п*)	Поиск каждой страной своего места плодотворен **при** *понимании* значимости совместного существования народов. Сроки сдачи объектов могут быть выдержаны только **при** *условии* своевременного финансирования работ.

II. ВЫРАЖЕНИЕ УСЛОВИЯ В СЛОЖНОМ ПРЕДЛОЖЕНИИ

Грамматические средства выражения

Таблица 8

Средства выражения	Примеры
I. **если, (то)**	**Если** компромисс не будет достигнут, (то) рассмотрением этого вопроса в очередной раз займётся парламент.

Средства выражения	Примеры
в случае, если	**В случае, если** рабочие завода объявят забастовку, администрация оставляет за собой право вызвать полицию.
II. **если бы**	**Если бы** рабочие завода объявили забастовку, администрация вызвала бы полицию.

Комментарий

- Обычно в газетных материалах и условие, и следствие представлены как ситуации, о которых неизвестно, будут они реализованы в будущем или нет. Предикат употребляется в будущем времени.

- При употреблении соединения союзного характера **в случае, если** подчёркивается, что действие наблюдается в ограниченных случаях.

- Если и условие, и следствие не имеют места в реальной действительности, предикат всегда употребляется в прошедшем времени.

если, то

- Союзы **если, то** могут употребляться в предложениях, выражающих сопоставительные отношения, когда две реально существующие ситуации соотносятся друг с другом по признаку различия или сходства, соответствия или несоответствия одна другой. **!**

Примеры: **Если** четыре года назад 70 процентов населения страны считало необходимым отказаться от ядерной энергии к 2010 году или даже раньше, **то** сейчас — меньше половины. **Если** строительство объектов энергетики, угольной промышленности и других отраслей привело к значительному росту экономического потенциала страны, **то** некоторые предприятия оказались убыточными, а то и просто ненужными.

§ 4. ВЫРАЖЕНИЕ УСТУПИТЕЛЬНЫХ ОТНОШЕНИЙ

В предложениях с уступительным значением речь идет о связи двух действий, одно из которых реализуется вопреки неблагоприятному условию, препятствующему обстоятельству.

I. ВЫРАЖЕНИЕ УСТУПИТЕЛЬНЫХ ОТНОШЕНИЙ В ПРОСТОМ ПРЕДЛОЖЕНИИ

Грамматические средства выражения

Таблица 9

Средства выражения	Пример
несмотря на *что* (В.п.)	Два народа могут и должны жить в дружбе, **несмотря на** *тяжёлое историческое прошлое*. Цены на продукты продолжают расти, **несмотря на** *антиинфляционные меры* правительства.

II. ВЫРАЖЕНИЕ УСТУПИТЕЛЬНЫХ ОТНОШЕНИЙ В СЛОЖНОМ ПРЕДЛОЖЕНИИ

Грамматические средства выражения

Таблица 10

Средства выражения	Примеры
несмотря на то что	Страна страдает хронической массовой безработицей, **несмотря на то что** на наукоёмких направлениях промышленности не хватает рабочих рук.
хотя	Формальная повестка дня не планируется, **хотя** одной из главных тем встречи будет вопрос об уничтожении химических вооружений.
но	Преодолевать печальное наследие прошлого весьма непросто, **но** другого пути у страны нет.

§ 5. ВЫРАЖЕНИЕ ВРЕМЕННЫХ ОТНОШЕНИЙ

I. ВЫРАЖЕНИЕ ВРЕМЕННЫХ ОТНОШЕНИЙ В ПРОСТОМ ПРЕДЛОЖЕНИИ

Исходя из значения, все случаи выражения временных отношений можно разделить на две большие группы:

1. выражение отношений **одновременности** (действие, обозначенное глаголом, происходит в границах временного отрезка, названного существительным или словосочетанием);

2. выражение отношений очерёдности (действие, обозначенное глаголом, происходит **до** или **после** временного отрезка, названного существительным или словосочетанием).

1. ТЕКУЩЕЕ ВРЕМЯ

1.1. Обозначение времени, полностью занятого действием

Таблица 11

Средства выражения	Примеры
В.п. без предлога делать что-либо сколько времени (как долго): одну минуту, два часа, первые пять дней, пятый день, неделю, месяц, все эти годы, последние семь лет, всю жизнь, всю войну...	Президент выразил надежду, что вооружённый конфликт, длящийся уже **десять месяцев**, прекратится. Вот уже **четвёртый день** продолжаются столкновения между группировками.
в течение + *Р.п.* (**в течение** года, **в течение** нескольких дней)	**В течение** *двух дней* министры будут обсуждать международные проблемы.
на протяжении + *Р.п.* **на протяжении** пяти лет, **на протяжении** десятилетия ...	**На протяжении** уже *почти трёх десятилетий* продолжаются экономические и культурные связи этих двух государств.

Комментарий

В.п. без предлога (употребляется для обозначения времени как процесса)

в течение + *Р.п.* (подчёркивается длительность процесса)

! • В предложениях с группой **в течение** + ***Р.п.*** глагол может употребляться как в несов. виде, так и в сов. виде.

Примеры: **В течение двух дней** министры обсуждали международные проблемы. **В течение двух дней** министры обсудили широкий круг вопросов, связанных с международными проблемами.

на протяжении + ***Р.п.*** (подчёркивается очень большая длительность времени)

1.2. Обозначение времени действия с указанием на его протяжённость и завершённость

Средства выражения	Примеры
за + ***В.п.*** сделать что-либо за сколько времени: **за** *одну минуту,* **за** *два часа,* **за** *неделю,* **за** *год,* **за** *всю жизнь...*	**За** *два дня* министры обсудили широкий круг вопросов, связанных с международными проблемами.

Комментарий

• Группа **за** + ***В.п.*** обозначает отрезок времени, необходимый для достижения результата действия, известного читателю из контекста.

Сколько человек	арестовали убили	
Сколько *чего*	погибли конфисковали	**за** *какое* время

Примеры: Жертвами королевского бенгальского тигра только **за** пять месяцев этого года стали 22 жителя страны. По данным статистики, **за** последние 15 лет тигры стали причиной гибели 353 человек. **За** это же время популяция тигров сократилась с нескольких тысяч до нескольких сотен особей.

! • Группа **за** + ***В.п.*** может употребляться при обозначении отрезка времени, в которое произошло какое-либо единичное событие.

Примеры: Крупнейшую **за** последние 25 лет забастовку провели в воскресенье работники нефтяных месторождений в Северном море. **За** последние 15 лет для крупных авиакомпаний только один год обошёлся без катастрофы с человеческими жертвами. Президент оценил подписание Договора о согласии и сотрудничестве как крупное событие в отношениях двух стран по крайней мере **за** последние 10 лет.

1.3. Обозначение времени с указанием на период или момент действия

Таблица 13

Средства выражения	Примеры
в + В.п.	
в *какое* **время**	**В** *последнее* **время** приток переселенцев в страну уменьшился. **В** *дореволюционное* **время** в стране практически ежегодно проходили международные встречи-ярмарки.
в *какой* **период** **в период** *чего* **в период** {реконструкции коллективизации восстановления *чего* строительства чего перехода *от чего к чему* }	Встреча министров проходила **в** *сложный* для их стран **период**. Возникшая **в период** «*холодной войны*» группировка сейчас вынуждена искать другие ориентиры.
в *какую* **эпоху** **в эпоху** *чего* {реакции прогресса национально-освободительного движения }	**В** *современную* **эпоху** *научно-технической революции* человек начал осваивать космос.

Комментарий

• Прилагательное **настоящее** сочетается с существительным **время** и употребляется в группе **в + В.п.**: **в настоящее время** — сейчас, теперь.

Примеры: Некоторые учёные считают, что **в настоящее время** самым целесообразным способом производства электроэнергии является ядерная энергетика. **В настоящее время** в забастовке принимают участие 2300 из 3500 сотрудников газеты. **В настоящее время** в стране запрещён отстрел всех тигров, в том числе тигров-людоедов.

- Существительное **время** может употребляться и во множественном числе.

Пример: Мэр турецкого города Бергама, который **в античные времена** был основан греками и назывался Пергам, возобновил свою кампанию за возвращение в город на законное место Большого алтаря Зевса.

Средства выражения	Примеры
в + В.п. **в** *какой* **день, в** *какие* **дни**	В *последний* **день** работы делегаты одобрили программные документы. В *ближайшие* **дни** сессия заслушает доклад Генерального секретаря ООН, утвердит повестку дня. Новое правительство будет сформировано **в** *эти* **дни.**
в субботу, в четверг **в** эту / следующую / прошлую **среду**	Несколько столкновений бастующих сотрудников газеты со штрейкбрехерами произошло **в** *минувшее* **воскресенье.**
в первую / последнюю / прошлую **неделю**	В *прошедшую* **неделю** самым «жарким» местом оставался главный город штата.
в год *чего* **в** *какие* **годы** **в год** встречи *с кем* / окончания *чего* / открытия *чего* / подписания *чего* / принятия *чего*	В **год** *окончания* войны были разоружены и расформированы все вооружённые группировки. В *последние* **годы** нет недостатка в символах российско-американского сотрудничества в самых различных областях. Большие запасы химического оружия, изготовленного **в годы** *войны*, обнаружены в районе бывших военных действий.

Средства выражения	Примеры
в век *чего*	
в век социальных преобразований крупных научных открытий научно-технического прогресса космических полётов бурного развития химии	**В век** *бурного развития химии* главная задача — сохранить природу.
* в наш *бурный* **век**	

Комментарий

• Существительное **день** во множественном числе **дни** с определением «эти» имеет два значения: !

в эти дни | а) сейчас, в настоящее время;
| б) в определённый, уже названный период.

Примеры: а) **В эти дни** в Москве работает выставка. б) Открывшаяся **в эти дни** международная ярмарка посвящена национальному празднику.

Таблица 13, б

Средства выражения	Примеры
на + В.п. **на** второй, следующий **день** ...	**На** *третий* **день** визита высокий гость посетил Большой театр.
запланировать наметить назначить *что* **на** *следующий* **день** **на** *первое* сентября **на** октябрь **на** *2-4* мая **на** *следующий* **год**	В соответствии с решением парламента выборы были назначены **на** *май* Встреча президентов двух стран запланирована **на** *следующий* **год**.
предложить принять утвердить план **на** *какой* **год**	Парламент одобрил предложенный законодателями-демократами бюджетный **план** на 2012 *финансовый* **год**.

Таблица 13, в

Средства выражения	Примеры
в + П.п. **в сентябре** **в** | прошлом следующем | **месяце** этом	Очередные выборы в парламент должны состояться **в** *сентябре*. Президент посетит соседнюю страну с рабочим визитом **в** *следующем* месяце.
в | прошлом этом | **году** 2012	**В** **прошлом** **году**, согласно данным Национального совета по безопасности на транспорте, самолёты разбивались восемь раз (это печальный рекорд двух последних десятилетий).
в | XX этом будущем следующем | **веке** XIX прошлом том	**В** *будущем* веке все страны должны объединиться для решения этой глобальной проблемы.
в | **прошлом** **будущем** **дальнейшем**	Из почти 8 тысяч человек, размещённых на военных базах, **в** *ближайшем* будущем вернутся домой 1400 военнослужащих.
в | **начале** **середине** *какого* **конце** *какой* | **года** **месяца** **недели**	Приглашение участвовать в ярмарке компания получила слишком поздно, **в конце** *минувшего* августа. Экономическая политика позволила добиться коренных перемен, в реальность которых мало кто верил **в начале** реформ. **В конце** *прошлой* недели четырьмя политическими партиями был принят совместный документ, определяющий основы их сотрудничества. **В начале** *нынешнего* года по приглашению правительства в стране находится с официальным визитом президент соседней страны.

Средства выражения	Примеры
на + П.п. **на днях**	Председатели многочисленных партий и движений оценивают принятый **на днях** правительством избирательный закон как важнейший документ.
на прошлой / этой / будущей **неделе**	**На** *прошлой* **неделе** город дважды подвергали бомбардировке.
на этом / начальном / всех **этапах** **этапе** работы	Государства могут приступить к реальным мерам глобального разоружения, даже если **на** *начальном* **этапе** они могут показаться скромными.
на этой / начальной / всех / разных **стадии** / **стадиях** развития работы	На политиков ложится ответственность **на** *всех* **стадиях** межнациональных отношений.
на **днях** а) недавно (для прошедшего времени) **этих днях** б) скоро, в ближайшие дни (для будущего времени)	**На днях** министр иностранных дел Швеции указал на большую заинтересованность Швеции в продолжении процесса разрядки напряжённости между великими державами. Новое правительство будет сформировано (на этих)**на днях**.

Комментарий

День

- Существительное **день** в сочетании с несогласованными и большинством согласованных определений выступает в группе **в** + **В.п.**, а в сочетании с порядковыми числительными (кроме **первый**) и определениями **следующий, другой** оно выступает в группе **на** + **В.п.**

249

в	последний первый	день	на	следующий другой второй пятый	день

Примеры: В этот *трагический* день (**день** гибели) сенатор добился крупного успеха: заключил политический альянс с председателем законодательной ассамблеи штата. **На *второй* день** работы парламента с докладом выступил министр иностранных дел.

Год

- Существительное **год** в сочетании с согласованными определениями выступает в группе **в + П.п.**, а в сочетании с несогласованными определениями — только в группе **в + В.п.** (*см. с. 246*)

Примеры: Конгресс состоится **в** будущем **году**. **В год** открытия выставки её посетили тысячи людей.

Век

- Существительное **век** в значении столетие в сочетании с согласованными определениями выступает в группе **в + П.п.**, а в значении большой отрезок времени, период, эпоха в сочетании с несогласованными определениями выступает в группе **в + В.п.** (*см. с. 246*)

Примеры: **В** прошлом **веке** проблемы экологии не стояли так остро, как **в двадцатом первом**. **В век** научно-технического прогресса люди не должны забывать о хрупкости нашей планеты.

1.4. Обозначение временного отрезка, в границах которого совершается действие

Таблица 14

Средства выражения	Примеры
во время + Р.п.	**Во время *отъезда*** из столицы министр иностранных дел выразил уверенность, что его визит послужит дальнейшему укреплению двусторонних отношений.
в ходе + Р.п.	**В ходе *первого раунда*** переговоров делегации изложили свои точки зрения на структуру и содержание соглашения.

Средства выражения	Примеры
при + *П.п.*	43 журналиста погибли в мире в 1990 году **при** *исполнении* своих обязанностей. **При** *переходе* к новым формам экономики возникают особые трудности.

Комментарий

во время + *Р.п.* (имеет значение только временного отрезка, в границах которого что-л. совершается)

в ходе + *Р.п.* (подчёркивается протяжённость действия)

при + *П.п.* (в *П.п.* употребляется отглагольное существительное)

- Группа **во время** + *Р.п.* в любом случае может быть употреблена вместо групп **в ходе** + *Р.п.* и **при** + *П.п.* Обратная замена не всегда возможна.
- Существительные, обозначающие названия мероприятий типа *съезд, конференция, дискуссия, беседа, переговоры, встреча,* употребляются только с предлогами **во время, в ходе.**

1.5. Обозначение двух одновременных действий

Таблица 15

Средства выражения	Примеры
деепричастие НСВ + глагол (СВ, НСВ)	Министр иностранных дел Швеции, **открывая** внешнеполитическую дискуссию в парламенте, *указал* на большую заинтересованность Швеции в продолжении процесса разрядки между великими державами.
	Выступая перед многочисленной толпой своих сторонников, президент *призвал* их более не предпринимать каких-либо демонстраций в его поддержку.
	Беседуя с журналистами, премьер-министр неоднократно *подчёркивал*, что его правительство готово пересмотреть условия соглашения с соседней страной.

Комментарий

- Одновременность двух действий выражается деепричастием (НСВ) и глаголом как СВ, так и НСВ.

1.6. Обозначение повторяющихся действий

Средства выражения	Примеры
каждый + В.п. **каждую** минуту, среду **каждый** день, год **каждые** 5 минут	Согласно конституции выборы в парламент проходят **каждые *4 года*.** **Каждую** *неделю* в страну приезжает около пяти тысяч человек. **Каждый** *понедельник* газета публикует сводки несчастных случаев на дорогах города. **Каждые** *тридцать два часа* в городе происходит убийство.
с годами	**С годами** меняемся не только мы, но и моды, традиции.
с каждым годом	**С каждым годом** растёт торговый оборот между двумя странами. **С каждым годом** уменьшается количество тигров в мире.
Т.п. *без предлога* **часами, днями, неделями, месяцами, годами, временами**	Дискуссия на съезде **временами** была достаточно острой. По древним улицам города можно бродить **часами**.

Комментарий

каждый + *В.п.* (имеет значение повторяемости временного отрезка действия)

с годами (подчёркивается значение постепенности перехода одного действия в другое)

с каждым годом (подчёркивается значение интенсивности действия)

Т.п. *без предлога* (обозначает повторяющиеся неопределённые моменты времени)

2. ПОСЛЕДУЮЩЕЕ ВРЕМЯ

Время действия, обозначенного глаголом, происходит после временного отрезка, названного существительным или словосочетанием.

Таблица 17

Средства выражения	Примеры
после + Р.п. **после** визита, переговоров, войны, революции, открытия *чего* выступления *кого* ... двух лет работы	**После** *официального открытия* и *обсуждения* процедурных вопросов конференция избрала своим председателем министра иностранных дел. Страна впервые **после** *второй мировой войны* получит право направлять за рубеж свои вооружённые силы. **После** *трёх десятилетий* эмиграции вернётся на родину президент оппозиционной партии.
с + Р.п. **с** сегодняшнего дня будущей недели прошлого месяца января этого года 2000 года детства юности	**С** *60-х годов* мир заговорил о «японском экономическом чуде», небывалых темпах промышленного роста, успехах в науке и технике. По условиям подписанного соглашения **с** *января будущего года* группы студентов получат возможность стажироваться в американских научных центрах. **С** *момента получения независимости* в 1962 году страна живёт в условиях чередования у власти двух основных партий. Новый премьер понимает, что в одиночку его правительству вряд ли удастся преодолеть трудности, поэтому он **с** *первых шагов своего правления* предлагает оппозиционной партии широкий диалог и сотрудничество.
через + В.п. **через** два месяца две недели год, неделю	В соответствии с решением парламента выборы нового парламента и президента пройдут **через** *шесть месяцев*. Второй раунд переговоров по этой проблеме планируется провести в Дели **через** *две недели*.

Средства выражения	Примеры
через + В.п. — после + Р.п. **через** два года **после** войны **через** месяц **после** войны	Уже **через** *два дня* после *подписания* соглашения о перемирии стало ясно: на этот документ у каждого из участников договорённости имеется свой взгляд. Это правительство менее чем **через** *год* **после** *прихода* к власти утратило доверие в нижней палате.
с + Т.п. с — началом, подписанием *чего* завершением, окончанием *чего* принятием, изменением *чего*	С *отбытием* 1000 человек завершён вывод из страны половины воинского контингента. С *подписанием* Декларации о ненападении отношения военного противостояния в Европе станут фактом истории. С *развитием* средств связи через космос стали возможны телемосты.
по + П.п. по — окончании *чего* завершении *чего*	**По** *завершении* выступления президента было объявлено, что на второй день работы парламента с докладом выступит министр финансов. **По** *завершении* эксперимента исследователь выступит по телевидению. **По** *окончании* Великой Отечественной войны началось восстановление народного хозяйства.

Комментарий

после + Р.п. (называется событие, явление, за которым следует действие, обозначенное глаголом)

с + Р.п. (указывается один из моментов названного отрезка времени с которого началось действие и продолжается в момент речи)

через + В.п. (обозначается время, отделяющее начало или конец действия в момент речи)

через + В.п. — после + Р.п. (указывается граница отсчёта времени)

$\boxed{\text{с} + \textbf{\textit{Т.п.}}}$ (выражается следование с определённого момента с указанием на причинность действия (эта группа синонимична группе **после** + **Р.п.**)

$\boxed{\textbf{по} + \textbf{\textit{П.п.}}}$ (в этой группе употребляются отглагольные существительные для обозначения непосредственного следования)

3. ПРЕДШЕСТВУЮЩЕЕ ВРЕМЯ

Время действия, обозначенное глаголом, происходит **до** временного отрезка, названного существительным.

Таблица 18

Средства выражения	Примеры
до + **Р.п.**	а) Конференция продолжится **до** ***11 января***. Распоряжение министра о замораживании строительства будет действовать **до** ***16 апреля*** будущего года. б) **До** ***выборов*** осталось два месяца.
С р а в н и т е : Сессия работала **до обеда**. — Решение было принято **до** ***обеда***.	
с + **Р.п.** — **до** + **Р.п.**	**С** ***середины октября*** **до** ***конца ноября*** планируется использовать 32 тысячи полицейских для несения охраны во время церемонии вступления императора на трон. В этом районе **с** *1935* года **до** ***окончания*** войны действовал секретный завод по производству химического оружия.
с + **Р.п.** — **по** + **В.п.**	Рост инфляции в стране **с** ***января*** **по** ***сентябрь*** нынешнего года составил почти 94 процента. Всего **с** *1969* **по** *1990* год на посту убит 751 представитель средств массовой информации.
за + **В.п.** — **до** + **Р.п.**	Премьер-министр распустил парламент **за** ***несколько месяцев*** **до** ***окончания*** его работы. Об отмене осадного положения в стране было объявлено **за** ***два дня*** **до** ***начала*** кампании подготовки к парламентским выборам.

Средства выражения	Примеры
на + **В.п.**	Правительство решило отсрочить **на** *два дня* начало очередного раунда переговоров по вопросам социально-экономической политики.

Комментарий

до + **Р.п.** (а) указывает время конца, предела действия, обозначенного глаголом; б) указывается не точный момент действия: оно может совершиться раньше указанного срока или оно должно совершиться не позднее указанного срока)

с + **Р.п.** — **до** + **Р.п.** (эти группы употребляются для выражения времени действия, ограниченного двумя отрезками или моментами, названными существительными или количественно-именными сочетаниями)

с + **Р.п.** — **по** + **В.п.** (предлог **по** в сочетании, обозначающем дату, указывает, что названный отрезок времени охвачен действием)

Пример: Обрушившийся на страну в период **с** *7-го* **по** *11-е* августа ураган вызвал мощные наводнения. (11 августа ураган ещё бушевал.)

за + **В.п.** — **до** + **Р.п.** (обозначается отрезок времени, отделяющий момент действия от какого-либо события, факта)

на + **В.п.** (употребляется, когда указывается планируемое время проведения действия, которое является результатом действия, названного глаголом)

Таблица 18, а

Средства выражения	Примеры
В.п. + **назад**	*Три года* **назад** для пресечения контрабанды наркотиков была создана контрольная региональная служба. Глава министерства уточнил, что известный писатель имел с ним встречу *несколько дней* **назад**.
В.п. + **спустя**	Сейчас, *год* **спустя**, власти выдвинули против активистов обвинение в нарушении общественного порядка.

Средства выражения	Примеры
перед + *Т.п.*	**Перед** *подписанием* договора стороны провели большую подготовительную работу. **Перед** *объявлением* забастовки профсоюзы пытались добиться принятия своих требований.
накануне + *Р.п*	**Накануне** *переговоров* состоялась беседа между лидером оппозиции и президентом республики. **Накануне** *российско-германской встречи* в верхах делегация прибыла в Берлин.
в канун + *Р.п.*	**В канун** *прибытия* президента в Мадрид журналисты попытались встретиться с его помощником. **В канун** *национального праздника* в страну прибыли многочисленные делегации.
к + *Д.п.*	**К** *концу* июля безработица достигла 272 тысяч человек. **К** *первому* января 1996 года страна готовится стать «ассоциированным» и лишь **к** *1998 году* — полноправным членом ЕЭС.

Комментарий

В.п. + назад (употребляется при обозначении отрезка времени, отделяющего совершившееся действие от момента речи)

В.п. + спустя (употребляется при обозначении отрезка времени, которое прошло после какого-либо события, действия)

перед + Т.п. (употребляется, когда действие, событие, факт, обозначенные глаголом, предшествуют событию, действию, факту, обозначенным существительным)

• Наречие **накануне** может употребляться самостоятельно, обозначая предшествующий день. **!**

Примеры: Правительство Франции согласилось предоставить политическое убежище известному писателю, обратившемуся **накануне** с такой просьбой. Прямо в зале суда были взяты под стражу и отправлены в тюрьму трое крупных финансистов. **Накануне** они были признаны виновными в фальсификации финансовой отчётности.

к + Д.п. (употребляется при указании на срок завершения действия, процесса)

II. ВЫРАЖЕНИЕ ВРЕМЕННЫХ ОТНОШЕНИЙ В СЛОЖНОМ ПРЕДЛОЖЕНИИ

1. Выражение одновременности действия

Таблица 19

Средства выражения	Примеры
когда	В 9 часов вечера наёмный убийца расстрелял сенатора автоматными очередями в спину, **когда** тот направлялся к дверям собственной фирмы.
пока	**Пока** взрослые решают свои непростые проблемы, растёт детская смертность, преступность.
в то время как	**В то время как** военные вывели тяжёлое оружие из столицы, правящая партия выдвинула ряд условий, что привело к отсрочке осуществления намеченного плана.
в то время, когда	**В то самое время, когда** был совершён поджог офиса, десятки людей видели обвинённого в этом преступлении выступающим на митинге.
до тех пор, пока	Кинематограф будет существовать **до тех пор, пока** он будет иметь зрителя.

Комментарий

когда (употребляется при обозначении полной одновременности действий)

пока (употребляется для выражения сопоставительной одновременности действий)

в то время как (употребляется для выражения полной одновременности с сопоставительными отношениями)

в то время, когда (употребляется при обозначении уточнительной ограничительной одновременности)

до тех пор, пока (употребляется для выражения ограничительной одновременности)

2. Выражение следования

Таблица 20

Средства выражения	Примеры
когда	**Когда** выяснилось, кому принадлежит автомобиль, на котором скрылись убийцы сенатора, на первый план вышла версия о политическом убийстве.
после того как	Волнения вспыхнули **после того, как** в столице был обнаружен умерший при загадочных обстоятельствах лидер оппозиции.
через + *В.п.* после того как	Европейская конвенция о защите прав человека будет ратифицирована **через *год* после того, как** будут устранены различия в правовой системе различных стран.

Комментарий

когда (употребляется при обозначении непосредственного следования)

после того как (употребляется как синоним союза **когда**)

через + *В.п.* после того как (имеет значение следования с уточнением времени действия)

3. Выражение предшествования

Таблица 21

Средства выражения	Примеры
перед тем как	**Перед тем как** подписать договор, главы правительств провели несколько совещаний.
пока не	Договор не будет подписан, **пока не** будет разрешён территориальный конфликт.
до тех пор пока не	Договор о нераспространении ядерного оружия должен сохранить своё действие **до тех пор, пока** не станет реальностью безъядерный мир.

Комментарий

перед тем как (употребляется для выражения непосредственного предшествования)

пока не (употребляется для обозначения предела предшествующего действия)

до тех пор пока не (употребляется для обозначения предела предшествующего действия с указанием на предел срока действия)

! • Наречие **пока** употребляется самостоятельно, обозначая:

а) в течение некоторого времени, некоторое время, считая с указанного момента;

б) до сих пор.

Примеры: а) **Пока** в ярмарке участвуют, как отмечалось в официальном сообщении, всего пять стран. О завершении конфликта **пока** говорить рано. Президент в ходе визита во Францию внёс ясность в ходившие слухи: базы **пока не** будут закрыты.

б) **Пока** за рубежом не объявился ни один из крупных руководителей прежнего правительства, за исключением одного министра. Японские специалисты **пока** ничего не могут сделать с таинственной вспышкой холеры, поразившей окрестности гигантского Токио, который всегда считался одной из наиболее «чистых» в медицинском отношении столиц мира. Многие поддерживают использование атомных электростанций, потому что «**пока** они экономически оправданы и соответствуют всем требованиям безопасности».

§ 6. ВЫРАЖЕНИЕ АТРИБУТИВНЫХ ОТНОШЕНИЙ

Атрибутивные отношения выражаются согласованными определениями (прилагательными) и несогласованными (существительными в косвенных падежах с предлогами и без предлогов, а также глаголом в инфинитиве).

**Предложно-падежные сочетания,
наиболее часто употребляемые в газетных материалах**

Таблица 22

Определяемые существительные	Определяющие предложно-падежные сочетания, инфинитив
	Родительный падеж
что	**Р.п.** без предлога **для** + *Р.п.* **от** + *Р.п.* **против** + *Р.п.* **на основе** + *Р.п.* **в области** + *Р.п.* **в пользу** + *Р.п.*
	Дательный падеж
что	**к** + *Д.п.* **по** + *Д.п.*
	Винительный падеж
что	**за** + *В.п.* **на** + *В.п.*
	Творительный падеж
что	**между** Т.п. и Т.п. **с** + Т.п.
	Предложный падеж
что	**о** + *П.п.* **на** + *П.п.*
	Глагол
что	**Инфинитив**

I. УПОТРЕБЛЕНИЕ НЕСОГЛАСОВАННОГО ОПРЕДЕЛЕНИЯ В РОДИТЕЛЬНОМ ПАДЕЖЕ

Таблица 23

Определяемые существительные	Определяющие существительные Предложно-падежные сочетания		
	Р.п. без предлога		
вопрос (ы) (*чего*)	(международной) безопасности контроля *над чем* *какой* политики разоружения разрядки напряжённости сокращения *чего* сотрудничества *кого с кем*	сохранения *чего* стабилизации *чего* стратегии тактики урегулирования *чего* экономики вопрос *какой* важности ...	
задачи (*чего*)	борьбы исследования *чего* ликвидации *чего* развития *чего* *какого* разоружения	совершенствования *чего* строительства *чего* укрепления *чего* ускорения *чего* ...	
проблема (ы) (*чего*)	безопасности безработицы борьбы *с чем* (внешнего) долга задолженности занятости использования *чего* качества национализации *чего*	мира контроля *за чем* оздоровления *чего* ограничения *чего* обеспечения *кого чем* освоения *чего* *какой* отсталости преступности	расизма развития *чего* роста *чего* сокращения *чего* терроризма финансирования *чего* экономики экономии *чего* ...
курс (*чего*)	борьбы *за что* гонки вооружений демократии дружбы *какой* конфронта- ции мира	независимости нейтралитета *какого* развития разоружения разума	реализма свободы *от чего* созидания мирного суще- ствования *какого* сотруд- ничества ...

Определяемые существительные	Определяющие существительные Предложно-падежные сочетания		
	Р.п. без предлога		
путь (*чего*)	*какого* возрождения демократии *какого* диалога мира независимости переговоров поисков *чего* *каких* преобразований	применения силы *какого* развития разоружения расширения *чего* реализации *чего* реализма сбережения *чего* совершенствования *чего*	соглашательства сотрудничества *с кем* сплочения *кого в чём* строительства *чего* (государственного) терроризма уступок (жёсткой) экономии ...
принцип (ы) (*чего*)	(одинаковой) безопасности дружбы демократии взаимной выгоды интернационализма невмешательства *во что*	нейтралитета неприсоединения *к чему* равенства равноправия суверенитета солидарности	справедливости свободы (социальной) справедливости взаимного уважения свободного рынка ...
программа (*чего*)	возрождения *чего* ...;		
меры (*чего*)	безопасности воздействия на *кого-что* доверия защиты	контроля наказания ограничения *чего*	экономического принуждения сокращения *чего* укрепления *чего* ...
обстановка (*чего*)	взаимопонимания (гражданской) войны доверия доброжелательства дружбы единства взглядов	искренности кризиса репрессий секретности сердечности согласия	сплочённости *вокруг кого-чего* стабильности уверенности энтузиазма ...

Определяемые существительные	Определяющие существительные Предложно-падежные сочетания		
	Р.п. без предлога		
отношения (*чего*)	взаимопомощи добрососедства (взаимного) доверия дружбы взаимной помощи	равноправного партнёрства сотрудничества мирного сосуществования товарищества ...	
кампания (*чего*)	гражданского неповиновения поддержки *кого-чего* протеста против *кого-чего* ...		
митинг (чего)	протеста *против чего* солидарности *с кем-чем* ...		
рынок (*чего*)	ценных бумаг долговых обязательств ...		
товары (чего)	народного потребления широкого спроса ...		
	для + Р.п.		
меры (**для** *чего*)	**для** ликвидации *чего* налаживания *чего* обеспечения *чего* подавления *чего*	прекращения *чего* преодоления *чего* решения *чего* сокращения *чего*	сохранения *чего* совершенствования *чего* устранения *чего* ...
	от + Р.п.		
сбор (**от** *чего*)	**от** вечера, концерта ...		
средства (**от** *чего*)	**от** продажи *чего* торговых сделок экспорта ...		
	против + Р.п.		
борьба (**против** *чего*)	**против** расизма ...		

Определяемые существительные	Определяющие существительные Предложно-падежные сочетания
	против + Р.п.
меры (**против** *чего*)	**против** распространения *чего* (наркотиков) ...
дело, иск (**против** *чего*)	**против** банка *какой* компании ...
	на основе + Р.п.
развитие (**на основе** *чего*)	**на основе** *какого* соглашения ...
соглашение (**на основе** *чего*)	**на основе** равноправия взаимного доверия...
	в области + Р.п.
сотрудничество (**в области** *чего*)	**в области** культуры науки и техники экономики ...
исследования (**в области** *чего*)	**в области** космоса ...
эксперт (**в области** *чего*)	**в области** авиаиндустрии ...
	в пользу + Р.п.
вечер (**в пользу** *кого*)	**в пользу** инвалидов сирот ...
сбор (**в пользу** *кого*)	**в пользу** инвалидов сирот ...

II. УПОТРЕБЛЕНИЕ НЕСОГЛАСОВАННОГО ОПРЕДЕЛЕНИЯ В ДАТЕЛЬНОМ ПАДЕЖЕ

Таблица 24

Определяемые существительные	Определяющие существительные Предложно-падежные сочетания
	к + Д.п.
тенденция (к *чему*)	**к** сближению *кого-чего*, преодолению *чего* ...
шаг (к *чему*)	**к** реализации *чего*, достижению *чего* ...
иск (к *чему*)	**к** банку, компании ...
запасные части (к *чему*)	**к** машинам, самолётам ...
	по + Д.п.
переговоры (по *чему*)	**по** *каким* вооружениям, *каким* вопросам, заключению *чего*, *каким* проблемам, разоружению, сокращению *чего* ...
совещание (по *чему*)	**по** *какому* вопросу, безопасности и сотрудничеству в Европе ...
доклад (по *чему*)	**по** *какому* вопросу ...
резолюция (по *чему*)	**по** *какому* вопросу ...
решение (по *чему*)	**по** *какому* вопросу, *какой* проблеме; **по** *какой* сделке...
соглашение (по *чему*)	**по** *какому* вопросу; контролю *над чем*, разоружению
договоренность (по *чему*)	**по** *какому* вопросу, контролю *над чем*, сокращению *чего* ...
предложение (-ия) (по *чему*)	**по** *какому* вопросу, контролю *над чем*, ликвидации *чего*, обеспечению *чего*, разоружению ...
мнение (по *чему*)	**по** *какому* вопросу, проблемам *чего* ...
дебаты (по *чему*)	**по** *какому* вопросу, *какому* закону ...
референдум (по *чему*)	**по** *какому* вопросу, *чьей* политике ...
деятельность (по *чему*)	**по** подрыву *чего* (безопасности), претворению в жизнь *чего*, созданию *чего*, укреплению *чего* ...
мероприятия (по *чему*)	**по** охране природы, повышению *чего*, проведению *чего*, укреплению *чего* ...

Определяемые существительные	Определяющие существительные Предложно-падежные сочетания		
	по + Д.п.		
кампания (по *чему*)	**по** борьбе *с чем* выборам *кого* ликвидации *чего* мобилизации *кого на что*	оказанию помощи *кому* подготовке *к чему* привлечению *чего* (средств *на что*) сбору подписей ...	
меры (по *чему*)	**по** борьбе *с чем* возобновлению *чего* восстановлению *чего* контролю *над чем* ликвидации *чего* модернизации *чего* недопущению *чего* обеспечению *чего* обузданию *чего*	ограничению *чего* оздоровлению *чего* предотвращению *чего* прекращению *чего* пресечению *чего* разоружению *кого* развитию *чего* сдерживанию *чего* созданию *чего*	сокращению *чего* стабилизации *чего* укреплению *чего* улучшению *чего* уничтожению *чего* ускорению *чего* установлению *чего* устранению *чего*...
работа	**по** внедрению *чего*, созданию *чего* ...		
разработки	**по** внедрению *чего* ...		
проект	**по** *какому* вопросу, обеспечению *кого чем* ...		
программа	**по** социальной защите *кого* ...		
пособие	**по** безработице ...		
предприятие	**по** производству *чего* ...		
расходы	**по** содержанию *кого-чего*, выплате *чего кому* ...		
операции	**по** поддержанию курса *чего*, скупке *чего* (доллара), продаже *чего* ...		
услуги	**по** доставке *чего*, оказанию финансовой помощи, ремонту *чего*...		
льготы	**по** налогообложению ...		
аукцион	**по** продаже *чего* ...		
распродажа	**по** сниженным ценам ...		
инструкция	**по** применению *чего*, использованию *чего* ...		

III. УПОТРЕБЛЕНИЕ НЕСОГЛАСОВАННОГО ОПРЕДЕЛЕНИЯ В ВИНИТЕЛЬНОМ ПАДЕЖЕ

Таблица 25

Определяемые существительные	Определяющие существительные Предложно-падежные сочетания		
	за + В.п.		
борьба (за *что*)	**за** изменение *чего*, использование *чего*, мир, независимость ...		
кампания (за *что*)	**за** возобновление *чего*, выделение *чего для чего* замораживание *чего* ликвидацию *чего* освобождение *кого-чего*	отмену *чего* прекращение *чего* (всеобщее) разоружение создание *чего* ...	
задолженность (за *что*)	**за** использование *чего*, право *чего* (торговли) ...		
плата (за *что*)	**за** аренду, демонстрацию *чего* ...		
	на + В.п.		
доклад (на *что*)	**на** *какую* тему		
курс (на *что*)	**на** возрождение *чего* войну достижение *чего* замораживание *чего* изменение *чего* ликвидацию *чего* милитаризацию *чего* нагнетание *чего* наращивание *чего* обострение *чего*	обуздание *чего* освоение *чего* повышение *чего* подрыв *чего* развитие *чего* распространение *чего* расширение *чего* снижение *чего* создание *чего* сокращение *чего*	сотрудничество срыв *чего* увеличение *чего* укрепление *чего* упрочение *чего* усиление *чего* ускорение *чего* устранение *чего* экономию ...
право (на *что*)	**на** автономию *какой* выбор *чего* жизнь забастовку льготы независимость образование	медицинское обслуживание материальное обеспечение проведение *чего* самоопределение свободу	суверенитет *какое* существование труд (свои) убеждения территориальную целостность ...

Определяемые существительные	Определяющие существительные Предложно-падежные сочетания		
	на + В.п.		
запрет (**на** *что*)	**на** *какие* вооружения ядерные взрывы какую деятельность *какие* испытания *чего* обладание *чем*	организацию *чего* приобретение *чего* проведение *чего* производство *чего* профессию	публикацию *чего* размещение *чего где* создание *чего* торговлю чем экспорт *чего* ...
разрешение (**на** *что*)	**на** демонстрацию *чего*, деятельность *чего*, торговлю *чем*...		
надежды (**на** *что*)	**на** *какой* рост *чего*, улучшение *чего* ...		
шанс (**на** *что*)	**на** выживание ...		
средства (**на** *что*)	**на** компенсацию, конверсию, строительство *чего* ...		
налог (**на** *что*)	**на** прибыль, добавленную стоимость ...		
акцизы (**на** *что*)	**на** импорт ...		
сделка (**на** *что*)	**на** *какую* сумму ...		
контракт (**на** *что*)	**на** поставку *чего* ...		
договор (**на** *что*)	**на** обслуживание *чего*, гарантийный ремонт ...		
цены (**на** *что*)	**на** акции, нефть, уголь ...		

IV. УПОТРЕБЛЕНИЕ НЕСОГЛАСОВАННОГО ОПРЕДЕЛЕНИЯ В ТВОРИТЕЛЬНОМ ПАДЕЖЕ

Таблица 26

Определяемые существительные	Определяющие существительные Предложно-падежные сочетания
	между + Т.п. и Т.п.
договор (**между** *чем и чем*)	**между** предприятием и банком ...
	с + Т.п.
государства (**с** *чем*)	**с** различным государственным строем ...

269

Определяемые существительные	Определяющие существительные Предложно-падежные сочетания
	с + Т.п.
проблемы (с *чем*)	**с** производством *чего* ...
организация (с *чем*)	**с** единым уставом ...
товарищество (с *чем*)	**с** ограниченной ответственностью ...
операции (сделки) (с *чем*)	**с** валютой, алюминием, бензином, сахаром ...
иск (с *чем*)	**с** *каким* требованием *к кому-чему* ...
бумаги (с *чем*)	**с** фиксированным сроком погашения ...
вывеска (с *чем*)	**с** указанием *чего* ...
борьба (с *чем*)	**с** терроризмом ...

V. УПОТРЕБЛЕНИЕ НЕСОГЛАСОВАННОГО ОПРЕДЕЛЕНИЯ В ПРЕДЛОЖНОМ ПАДЕЖЕ

Таблица 27

Определяемые существительные	Определяющие существительные Предложно-падежные сочетания	
	о + П.п.	
доклад (о *чём*)	**о** задачах *чего*, итогах *чего*, международном положении	*какой* работе *кого-чего*, *каких* событиях *где* ...
информация (о *чём*)	**о** предприятии, режиме работы *кого-чего*	регистрации *чего*, правилах *чего* ...
сведения (о *чём*)	**о** наличии товара, сертификации товара ...	
предложения (о *чём*)	**о** введении *чего* выработке мер замораживании *чего* прекращении *чего*	создании *чего* созыве чего сокращении чего ...

Определяемые существительные	Определяющие существительные Предложно-падежные сочетания		
	о + *П.п.*		
вопрос (о чём)	**о** безопасности *чего* власти действиях *кого* доверии *к кому-чему* запрещении *чего* использовании *чего* необходимости *чего* неприменении *чего* нормализации *чего* ограничении *чего*	организации *чего* ответственности *кого за что* передаче *чего кому* положении *кого-чего* предоставлении *чего кому-чему* предотвращении *чего* прекращении *чего* применении *чего*	присоединении к *чему* роли *кого-чего* создании *чего* сокращении *чего* стабильности *где* участии *кого-чего* в *чём* ходе *чего* целесообразности *чего* ...
резолюция (о чём)	**о** предоставлении *чего кому*, подготовке *к чему*, принципах *чего*, деятельности *кого-чего*...		
коммюнике (о чём)	**об** итогах *чего* ...		
переговоры (о чём)	**о** выборах выплате *чего* дружбе заключении *чего*	запрещении *чего* мире культурном обмене ограничении *чего*	сокращении *чего* сотрудничестве мирном урегулировании *чего* экспорте *чего* ...
дискуссия (о чём)	**о** роли *чего*, структуре *чего*, формировании *чего* ...		
договор (о чём)	**о** дружбе запрещении *чего* мире ненападении,	неприменении *чего* обмене *чем* ограничении *чего* поддержании *чего*	взаимной помощи создании *чего* сотрудничестве установлении *чего* ...
договорённость (о чём)	**о** визите времени визита встрече запрещении *чего* ликвидации *чего*	обмене *чем* подготовке *чего* сдерживании *чего* соблюдении *чего* создании *чего*	созыве *чего* сокращении *чего* сотрудничестве укреплении *чего* улучшении *чего* ...

Определяемые существительные	Определяющие существительные Предложно-падежные сочетания		
	о + П.п.		
соглаше-ние (о чём)	**о** восстановлении *чего* вступлении *кого куда* выводе *чего откуда* *каких* гарантиях *чего* дружбе замораживании *чего* запрещении *чего* испытании *чего* контроле *над чем*	нераспространении *чего* культурном обмене ограничении *чего* оказании помощи *кому* отсрочке *чего* перемирии взаимной помощи поставках *чего*	прекращении *чего* проведении *чего* развитии *чего* разоружении сокращении *чего* сотрудничестве торговле углублении *чего*...
	на + П.п.		
совещание	**на** высшем уровне		
переговоры	**на** высшем уровне		

VI. УПОТРЕБЛЕНИЕ НЕСОГЛАСОВАННОГО ОПРЕДЕЛЕНИЯ В ИНФИНИТИВЕ

Таблица 28

Определяемые существительные	Определяющий глагол (инфинитив)	
призыв	обуздать *что* занять *какую* позицию не допустить *чего*	оказать помощь *кому-чему* помочь *кому* ...
требование	остановить *что* ...	
решение	закрыть *что* исключить *кого откуда* бойкотировать *что* выделить *кому что* освободить *кого* отклонить *что*	распространить *что* провести *что* привлечь *кого к чему* создать *что* уволить *кого откуда* ...

Определяемые существительные	Определяющий глагол (инфинитив)	
задача	выработать *что* ...	
цель	привлечь внимание *к чему* ...	
планы	отправить *кого куда* ... уволить *кого* ...	
попытка	навязать *кому что*, преодолеть *что* ...	
стремление	отстоять *что*, предпринять *что* ...	
намерение	провести *что* ...	
решимость	добиться *чего*, довести *что до* конца, продолжать *что* ...	
готовность	продолжать *что*, развивать *что*, углублять *что* ...	
способность	обеспечить *что* ...	
право	вносить предложения избирать критиковать *кого-что* проводить *что*	решать *что* снижать *что* сформировать *что* ...

ОГЛАВЛЕНИЕ

Учебное издание

ДЕРЯГИНА Светлана Ивановна
МАРТЫНЕНКО Елена Викторовна
ГАДАЛИНА Инна Ивановна
КИРИЛЕНКО Наталья Павловна

В ГАЗЕТАХ ПИШУТ...

Учебное пособие для изучающих
русский язык как иностранный

Редактор *М.А. Кастрикина*
Корректор *В.К. Ячковская*

Подписано в печать 15.11.2011 г. 60×90/16
Объем 17,5 п. л. Тираж 1500 экз. Зак. 539

Издательство ЗАО «Русский язык». Курсы
125047, Москва, 1-я Тверская-Ямская ул., д. 18
Тел./факс: +7(499) 251-08-45, тел.: +7(499) 250-48-68
e-mail: kursy@online.ru; rkursy@gmail.com; russky_yazyk@mail.ru
www.rus-lang.ru

Отпечатано с готового оригинал-макета издательства
в типографии ФГБНУ «Росинформагротех»
141261, пос. Правдинский Московской обл., ул. Лесная, д. 60
Тел.: +7(495) 693-44-04

А.Н. Богомолов

НОВОСТИ ИЗ РОССИИ-2009

Русский язык в средствах массовой информации

Учебник для изучающих русский язык как иностранный

Учебник по русскому языку как иностранному позволит учащимся расширить знания о жизни современной России и международных событиях, которые освещаются в российских средствах массовой информации (СМИ), познакомит с основными жанрами газетно-журнальной публицистики и особенностями языка современных российских СМИ, научит самостоятельно ориентироваться в газетных и телевизионных материалах.

В учебнике представлены аутентичные тематически отобранные материалы по работе с языком СМИ современной России, а также блок заданий для работы в интернете, что поможет учащимся самостоятельно находить материалы по темам их научных проектов.

Учебник дополнен русско-англо-немецким словарем, включающим 1200 единиц языка СМИ. Может использоваться также для подготовки к сдаче сертификационных экзаменов ТРКИ-2, ТРКИ-3.

К ряду заданий даны ключи.

Адресован иностранным студентам и специалистам — политологам, социологам, экономистам, журналистам, лингвистам, — владеющим русским языком в объеме ТРКИ-1, преподавателям русского как иностранного, а также всем интересующимся вопросами современной России.

А.Л. Бердичевский,
Н.Н. Соловьёва

Говорите и пишите стильно!

Учебное пособие
для иностранных учащихся

Предназначено для изучающих русский язык как иностранный и владеющих им на уровне С1. Пособие даёт представление о научном, официально-деловом и публицистическом стилях современного русского языка. Цель пособия — научить распознаванию и правильному использованию стилей в различных коммуникативных ситуациях.

Особенность данного пособия состоит в том, что в нём обозначены профессиональные ситуации, с которыми иностранные учащиеся столкнутся в России и при общении с российскими коллегами.

Каждый раздел содержит теоретическую часть — общую информацию о конкретном стиле русского языка, и практическую часть, в которой показано соотношение стиля с профессиональными ситуациями. В практическую часть входят задания, направленные на развитие коммуникативных и межкультурных навыков и умений учащихся в профессиональном общении.

Разделы носят модульный характер и предполагают любую последовательность их включения в учебный процесс.

Е.И. Бегенева

Русская газета к утреннему кофе

Интерактивный курс русского языка. Модуль 1

Эта книга является составляющей уникального крупномасштабного интерактивного курса «Русская газета к утреннему кофе»,

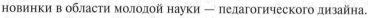

новинки в области молодой науки — педагогического дизайна.

Стартовый модуль курса, который вошёл в книгу, является самостоятельной единицей, законченной в структурно-смысловом отношении. Модуль состоит из 11 уроков, распределённых по рубрикам ГАСТРОНОМИЯ, МОДА и ИСКУССТВО. Все уроки созданы на базе неадаптированных статей русских газет.

Книга рассчитана на продвинутый этап обучения (II сертификационный уровень). Она призвана помочь учащимся освоить технику «лёгкого», «естественного» чтения, которой владеют носители языка, и приохотить их к чтению русских газет и журналов.

Содержание книги организовано таким образом, что словесный текст смонтирован с изображением в технике «монтажа аттракционов» (термин С. Эйзенштейна). Это позволит даже от «ленивого» читателя добиться напряжённой логической работы и эмоционального отклика.

Интерактивный тренинг, экзаменационные материалы, а также аудиовизуальные задания читатель найдет в интернет-версии курса по адресу www.lclass.org.

Курс адресован самой широкой аудитории: студентам, занимающимся по академическим вузовским программам, посетителям языковых курсов, студентам по переписке, участникам e-learning образовательных языковых проектов, полиглотам, спортсменам, — всем, кто занимается русским языком как в аудитории, так и вне её.

В.Л. Шуников

Говорит и показывает Россия

Курс аудирования на материале теленовостей

В пособии представлена оригинальная методика работы с аудио-ресурсом, направленная на реконструкцию учащимся целостного текста новостного сообщения и позволяющая совместить аудирование с изучением грамматики русского языка. Цель пособия — развить навыки аудирования неадаптированной русской речи. В качестве аудио-источника используются теленовости, характеризующиеся высоким темпом речи дикторов и корреспондентов, разнообразием языкового материала, совмещением черт разных функциональных стилей языка.

Восприятие новостных сообщений максимально приближает учащихся к реальной рецепции звучащей речи, позволяет познакомить с лексикой, входящей в активный состав русского языка. Система упражнений помогает учащимся проанализировать все входящие в текст слова и основные типы предложений.

В новостях представлена актуальная информация о России (экономике, культуре, религии, национальных проектах, природе и экологии, развитии СМИ и т. д.), что делает книгу ценным пособием и по страноведению.

В процессе аудирования и выполнения творческих заданий учащийся знакомится с жанрами современной тележурналистики, в силу чего пособие может быть использовано также в рамках курса о языке СМИ.

Пособие адресовано иностранным учащимся, владеющим русским языком в объеме уровня А2.